KU-084-329

# LA MUSIQUE FRANÇAISE
## AU XIXe SIÈCLE

CHRIST'S COLLEGE
LIBRARY

OUVRAGES DE TECHNIQUE MUSICALE
PUBLIÉS AVEC LE CONCOURS DE NORBERT DUFOURCQ
*Professeur d'Histoire de Musique et de Musicologie
au Conservatoire National Supérieur de Musique
et à l'École Normale de Musique*

———

Louis AUBERT et Marcel LANDOWSKI. — *L'orchestre.*
Norbert DUFOURCQ. — *L'orgue.*
— *Le clavecin.*
René DUMESNIL. — *L'Opéra et l'Opéra-comique.*
André HODEIR. — *La musique étrangère contemporaine.*
Charles KOECHLIN. — *Les instruments à vent.*
Paul LOCARD. — *Le piano.*
Armand MACHABEY. — *La notation musicale.*
Lucien MALSON. — *Les maîtres du jazz.*
Marc PINCHERLE. — *Les instruments du quatuor.*
Félix RAUGEL. — *Le chant choral.*
Evelyn REUTER. — *La mélodie et le lied.*
Claude ROSTAND. — *La musique française contemporaine.*
André HODEIR. — *Les formes de la musique.*
José SUBIRA. — *La musique espagnole.*
Jean VIGUÉ et Jean GERGELY. — *La musique hongroise.*
Bernard GAGNEPAIN. — *La musique française du Moyen Age et de
la Renaissance.*
Jean-François PAILLARD. — *La musique française classique.*
Claude ROSTAND. — *La musique allemande.*
Dr HUSSON. — *Le chant.*
Armand MACHABEY. — *La musicologie.*
Marcelle SOULAGE. — *Le solfège.*
José BRUYR. — *L'Opéra.*

———

« QUE SAIS-JE ? »

LE POINT DES CONNAISSANCES ACTUELLES

Nº 1038

# LA
# MUSIQUE FRANÇAISE
# AU XIXe SIÈCLE

par

## Frédéric ROBERT

PRESSES UNIVERSITAIRES DE FRANCE

108, Boulevard Saint-Germain, PARIS

1963

DÉPOT LÉGAL

1re édition .. .. .. 1er trimestre 1963

**TOUS DROITS**

de traduction, de reproduction et d'adaptation
réservés pour tous pays

© 1963, *Presses Universitaires de France*

CHRIST'S COLLEGE
LIBRARY

ACCESSION No.
3749

CLASS No.
780·944

Coe.
26.2.71
Cie

Rob

# INTRODUCTION

On s'étonnera peut-être de voir une étude sur la musique française au XIXᵉ siècle commencer en 1789. Mais un siècle a-t-il obligatoirement pour point de départ, en histoire, une année suivie de deux zéros ? Le XIXᵉ siècle a débuté avec la Révolution Française qui marquait l'avènement d'une nouvelle forme de société et c'est en 1914 qu'il s'est achevé.

Les quarante années qui séparent la Révolution Française des débuts de Berlioz étaient encore considérées, il y a cinquante ans à peine, comme les plus riches de notre histoire musicale ! Une appréciation aujourd'hui forcément plus raisonnée de Debussy, de Ravel et de leurs contemporains, une connaissance plus approfondie du Moyen Age, de la Renaissance et du Classicisme ont modifié ces jugements. Par réaction, on est allé jusqu'à parler de décadence. C'était évoquer trop unilatéralement ce qui mourait alors et faire abstraction de ce qui apparaissait, s'est développé et finalement a remplacé l'ancien. En fait, la musique était plus étroitement liée qu'aucun art, par ses manifestations principales et son organisation matérielle, à l'Ancien Régime ; elle en avait suivi le déclin ; elle subit ensuite pendant trois quarts de siècle les fluctuations d'une société nouvelle qui revêtait des formes tour à tour autoritaires ou libérales. A plusieurs reprises, l'évolution de la musique aura été, comme aux siècles précédents, dictée d'en haut : Bonaparte, les Bourbons ou l'Impératrice Eugénie auront imposé leurs goûts et par là même favorisé plus particulièrement certaines formes d'expression, limité ou accentué certaines influences extérieures. Il ne faudrait pas négliger pour autant les rapports, posés avec une acuité particulière sous la Révolution, de l'artiste et du public. Toutefois, nous n'avons fait qu'effleurer la chanson populaire, c'est-à-dire la chanson de terroir d'origine *rurale* et la chanson *citadine* qui lui a succédé au XIX^e siècle ; ses interférences avec la musique que nous étudions ici ayant été purement accidentelles, du moins jusqu'en 1914. Nous avons mentionné par contre des compositions étrangères sur paroles françaises, notamment celles qui, pour mieux s'adapter à notre langue, se sont imprégnées du style de nos compositeurs.

Il nous a paru malaisé, sinon impossible, d'étudier d'un seul tenant l'art vocal ou instrumental — comme cela a pu être tenté pour le classicisme — alors que le goût, les conditions même d'épanouissement de la musique de 1789 à 1939 se sont considérablement modifiés. Mais toute division implique des enjambements d'un chapitre à l'autre. Par exemple, la double coupure opérée par le phénomène Strawinsky et la première guerre mondiale a imposé ou précipité une nouvelle démarche créatrice chez Ravel dont il sera question par conséquent à la fois dans « L'Epoque 1900 » et dans le chapitre postérieur, tandis qu'elle aura été un stimulant décisif pour un *aîné* de Ravel : Albert Roussel dont il ne sera parlé *que* dans le dernier chapitre.

Il nous a été également impossible de ne pas empiéter, bon gré mal gré, sur deux volumes parus dans la même collection :

a) *La Musique française classique* par Jean-François Paillard (n° 878), car l'activité de musiciens nés et formés sous l'Ancien Régime et déjà célèbres à la veille de la Révolution s'est prolongée au cours de cette période, voire au-delà.

b) *La Musique française contemporaine* par Claude Rostand (n° 517), qui se limite aux maîtres nés après 1885 et dont la carrière n'a commencé qu'immédiatement avant, pendant ou après la guerre de 1914-1918 (1).

_____

(1) Exception faite naturellement de Lili Boulanger (1893-1918).

# PREMIÈRE PARTIE

# *DU CLASSICISME AU ROMANTISME*

────

## CHAPITRE PREMIER

## LA RÉVOLUTION FRANÇAISE (1789-1799)

La Révolution Française provoqua une transformation politique et sociale si radicale que tout à la fois elle imposait une modification des moyens d'expression et appelait une nouvelle esthétique. Celle-ci fut forcément plus lente à se former ; son élaboration ne pouvait d'ailleurs être qu'imparfaite chez des compositeurs qui, en raison de leur âge, malgré leur adhésion enthousiaste au nouveau régime, au nouvel idéal, subirent le poids de leur passé ; celui-ci eut très souvent raison de leur talent (aucun d'eux n'avait réellement du génie). En fin de compte, ils ne se sont guère détachés *tout à fait* de leur formation première (1). D'où ce mélange fréquent et parfaitement compréhensible de l'ancien et du nouveau ; d'où ces nombreuses compositions d'un style peu approprié aux paroles. Cette remarque vise surtout les musiciens qui avaient atteint, voire dépassé, la cinquantaine en 1789, tels Gossec (né en 1734), ancien disciple de Rameau au service de La Poupelinière, ou François Giroust (né en 1738), ex-maître de la Chapelle Royale et auteur de la *Messe du Sacre de Louis XVI*. Elle s'applique déjà moins à Cherubini, Lesueur (nés en 1760) ou Méhul (né en 1763) qui atteignirent en général à des accents plus neufs et plus valables ; elle ne concerne pratiquement plus Catel (né en 1773), élève de Gossec, à qui l'on doit des pages plus remarquables encore et dont les débuts remontent véritablement à la Révolution (2).

─────

(1) Le chevalier de Saint-Georges († 1799) ou Philidor († 1795), dont l'adhésion aux idées républicaines ne fait aucun doute, n'ont laissé, semble-t-il, aucune œuvre inspirée par la Révolution.
(2) Les premières compositions de Boïeldieu (né en 1775) furent aussi destinées aux Fêtes Nationales mais n'ont pu être retrouvées.

Appliqué aux arts, le mot révolution prête facilement à équivoque. S'il y eut une *révolution* dans la musique, ne se produisit-elle pas dans les mœurs, dans les rapports de l'artiste et de son public, davantage peut-être que dans la création proprement dite ? On peut définir le caractère révolutionnaire d'une partition soit par la nouveauté du style, soit par les sentiments qui l'animent. Telle composition de Gossec, révolutionnaire convaincu, sera plus imprégnée de l'idéal républicain que telle autre, cependant plus originale, de son cadet Cherubini, habile opportuniste. On devine aisément la complexité du problème, problème social et profondément humain, dont l'importance n'a pas toujours été clairement discernée par les historiens et les critiques, même les plus ouverts à cette période de notre histoire musicale. On ne saurait pourtant le négliger si l'on veut juger aussi objectivement que possible ces musiques que certains se complaisent depuis une vingtaine d'années à dénigrer de façon violente et systématique.

# I. — Origines et antécédents des musiques civiques

« ... Le moment semble venu, écrit *Le Mercure* en 1779, d'exciter les musiciens à abandonner les routes battues et à en chercher de nouvelles pour étendre les limites de l'art. » A la veille de la Révolution, la musique, où prédominent les formes vocales, s'efforce d'élargir son audience. Elle recherche, sous l'influence des philosophes et des encyclopédistes, une expression toujours plus proche de la réalité ; le sentiment religieux y fera place au sentiment civique. Lorsque *Le Mercure* affirme en 1783 que« les motets n'excitent plus d'intérêt», il se borne à constater un fait déjà ancien : la désaffection croissante pour les sujets mythologiques ou sacrés. Encouragé par l'homme de lettres italien Boretti, mais aussi, sans doute, par son ami Diderot, Philidor montrait le chemin des hymnes patriotiques avec son poème lyrique *Carmen Saeculare* (1779). Cet oratorio profane, exaltant les vertus et la grandeur romaines, allait être encore exécuté après 1789. La Laurencie fait justement remarquer que cette ode, dégagée quant à l'esprit de toute religiosité et visant ainsi à un nouvel et plus vaste auditoire, restreint en fait ce dernier par le choix de poèmes d'Horace, susceptibles d'être seulement compris de quelques initiés. La nécessité de traiter en langue *française* de sujets empruntés à l'actualité *immédiate* se fera de plus en plus clairement sentir. En 1785, La Dixmerie parle un

langage bien prophétique quand il se demande (1) si on ne
pourrait pas inscrire au programme des concerts des « morceaux dans le genre héroïque, morceaux où l'on rappellerait
certains événements glorieux à la Nation et chers à son souvenir ». Or, cette même année, le Concert Spirituel affiche
entre des oratorios une *Ode sur la mort du duc de Brunswick.*

Après la prise de la Bastille (14 juillet 1789), la musique jouera
le rôle même entrevu par les philosophes et les futurs hommes
politiques de la Révolution ; comme la poésie de M.-J. Chénier
ou la peinture de David, elle stimulera et traduira les sentiments patriotiques des foules en frappant leur imagination
et leur sensibilité.

## II. — Les fêtes et chants de la Révolution Française

**1. 1790-1792.** — A l'époque de « La Nation,
le Roi, la Loi », la musique a encore recours aux
textes religieux traditionnels, mais la foi qui
l'inspire a déjà changé de caractère. En témoignent
le *Te Deum* de Gossec, exécuté au Champs-de-Mars
pour la Fête de la Fédération (14 juillet 1790)
ou le *De Profundis* (1792 — perdu) de Catel. La
nécessité de répondre aux commandes dans les plus
brefs délais explique que beaucoup d'hymnes ne
sont, comme la majorité des chansons, que des
airs connus dont on a simplement changé les paroles.
Celles de l'*Hymne à la Liberté* (*Veillons au Salut
de l'Empire*, 1792), qui deviendra le chant officiel
napoléonien, sont adaptées à un chœur de l'opéra-
comique *Renaud d'Ast* (1787) de Dalayrac ; celles
de *La Carmagnole* ont été écrites sur une contre-
danse, celles du *Ça ira* sur un carillon...

Pour remplacer des institutions musicales de l'Ancien Régime
qui avaient cessé leurs activités à partir de 1789, de nouvelles
furent presque aussitôt créées comme l'Ecole Municipale de
Musique fondée par Bernard Sarrette avec le concours d'anciens musiciens des gardes françaises. Devenu en 1792 l'Ecole
gratuite de Musique de la Garde Nationale, cet établissement

---

(1) *Lettre sur l'état présent de nos spectacles.*

prenait quelques mois plus tard le titre d'Institut National
de Musique avant d'adopter définitivement en 1795 celui de
Conservatoire National de Musique et de Déclamation. De
son côté, l'Académie Royale de Musique est en complète réor-
ganisation ; elle renouvelle son répertoire par la représentation scénique d'hymnes comme l'*Offrande à la Liberté* (1793)
de Gossec, où figure la première harmonisation de *La Marseillaise*, ou d'ouvrages mi-lyriques mi-chorégraphiques inspirés
par les événements du jour comme *Les Rigueurs du Cloître*
d'Henri Berton (1790) ou *La Rosière républicaine* de Grétry
(1794).

2. **1792-1794.** — Après la proclamation de la
République, on assiste, avec l'organisation des
« Fêtes Nationales », à la naissance d'une véritable
« liturgie civique » destinée à suppléer au culte
catholique ; son « ordinaire » se compose d'hymnes
à la Raison, à l'Etre Suprême, à l'Agriculture, à
l'Hymen... et son « propre », d'un intérêt bien supérieur, d'hymnes célébrant au jour le jour les événements joyeux ou graves. Le peuple, qui participe
toujours plus aux affaires de l'Etat, n'est plus
seulement auditeur ou spectateur, mais chanteur,
sinon acteur. Ainsi, pour la préparation de la
Fête à l'Etre Suprême, tous les musiciens, compositeurs ou interprètes, appartenant à l'Institut
National de Musique, se rendirent dans leurs sec-
tions de Paris pour faire répéter les choristes amateurs volontaires et désigner parmi eux les plus
susceptibles de participer à cette manifestation
grandiose et sans précédent. L'hymne de Gossec,
composé pour la circonstance et souvent cité en
exemple, nous paraît toutefois moins représentatif
de la nouvelle esthétique que, par exemple l'*Hymne
du Panthéon* (1794) de Cherubini, *La Bataille de
Fleurus* (1794) de Catel, ou encore — également
de Catel — l'*Ode sur le vaisseau « Le Vengeur »*
(1794), le plus réussi des hymnes à une voix avec le
*Chant funèbre sur la mort du citoyen Féraud* de

Méhul (1795). Mais aucune de ces partitions n'a exprimé l'idéal révolutionnaire avec autant de force que l'immortelle *Marseillaise* (1792), le plus admirable et le plus international des hymnes nationaux. Son auteur, le capitaine Rouget de Lisle (1760-1836), un obscur et médiocre musicien amateur, fut le véritable porte-parole génialement inspiré de la Grande Révolution. Le *Chant du Départ* de Méhul (1794) suscita un enthousiasme égal et son universelle célébrité ne s'est jamais atténuée. Pour accompagner les voix en plein air, la nécessité s'imposa très vite de faire appel aux instruments à vent dont l'enseignement prit une grande extension. La « musique militaire » se composait jusqu'alors essentiellement de clarinettes, de cors et de bassons. Son répertoire était presque entièrement constitué de pots-pourris et d'arrangements d'airs lyriques que le *Journal militaire* publié par Leduc avait contribué à répandre. Cette formation, désormais qualifiée de « petit orchestre », est reléguée à l'arrière-plan ; elle se bornera à accompagner les hymnes à voix seule ou les « réductions » d'hymnes pour chœur où les voix sont soutenues — et pas toujours obligatoirement doublées ! — par l'ensemble des instruments à vent et à percussion ; parmi ceux-ci apparaissent pour la première fois le tam-tam et le... canon ! L'orgue se joint parfois à cet ensemble imposant et un peu massif. Ainsi l'orchestre d'harmonie prend forme ; il ne subira que de légères modifications au cours du xixᵉ siècle, notamment à la suite des réformes d'Adolphe Sax. En dehors d'ouvertures d'opéras-comiques réinstrumentés pour la circonstance, il exécute des marches militaires (*Marche lugubre* de Gossec, 1790), des pas de manœuvres, des symphonies et ouvertures originales. On pourrait croire qu'il

s'agit cette fois d'une simple substitution ; ces allegro
de symphonie se signalent davantage par leur instrumentation que par leur style ; l'influence certaine
de Haydn n'exclut pas toutefois la présence de modulations, d'accents, de rythmes annonciateurs de
Beethoven, de Schubert, voire des autres romantiques, et voisinant d'ailleurs avec des thèmes qui ont
déjà la facilité souriante et désinvolte de Boïeldieu.

3. **1794-1800**. — Après le 9 Thermidor, les manifestations musicales populaires prennent un autre
aspect ; au lieu d'être célébrées en plein air, elles
ont lieu en salle fermée devant un public fatalement restreint, pour ne pas dire choisi. « Après
le 9 Thermidor, la flamme qui avait éclairé les
premiers ans de la Révolution s'éteignit. Mais au
contact des événements antérieurs, les mœurs
avaient pris une empreinte qui ne s'effaça pas de
sitôt. Malgré tout l'on fut encore en République
pendant plusieurs années. Les fêtes civiles conti-
nuèrent à être célébrées jusqu'à la fin de ce régime,
exprimant à leur manière les dispositions de la
conscience nationale, jusqu'au jour où les fêtes
religieuses, admises à reprendre leurs anciens états,
y mirent fin » (J. Tiersot). C'est par le Concordat
(1801) que Napoléon porta le coup de grâce aux
« musiques à l'usage des fêtes nationales » et réduisit
leurs auteurs à ne plus écrire que des opéras-
comiques. Et cela au moment même où des fresques
imposantes, d'un caractère plus nouveau encore,
parfois plus monumentales que les précédentes,
moins hâtivement écrites, comme l'*Hymne funèbre
sur la mort du général Hoche* (1797) de Cherubini,
avec sa remarquable marche funèbre, ou le *Chant
national pour le 14 juillet 1800* de Méhul, promet-
taient une moisson plus riche encore et dont l'intérêt artistique eût été certainement supérieur.

### III. — Leurs prolongements au XIX<sup>e</sup> siècle

Dix années à peine séparent la *Marche lugubre* de Gossec
(1790) du *Chant pour le 1<sup>er</sup> Vendémiaire an IX* de Lesueur
(1800), dix années qui ont vu naître et prendre corps un répertoire original dont la continuation est apparue d'abord à
l'étranger avec Beethoven. Certes, les conditions étaient moins
favorables à la maturation qu'à l'improvisation et la composition d'hymnes au jour le jour ressemblait plutôt à la rédaction
d'articles de journaux ! Mais faut-il en déduire que les fresques
de Méhul, Gossec, Catel, Cherubini ou Lesueur n'ont laissé
aucune trace en France avant Berlioz ? Leur conception était
trop neuve pour qu'elle engendrât dans l'immédiat des réussites esthétiques absolues. Mais la modification des moyens
d'expression et du style qu'elle impliquait s'est reflétée assez
tôt au théâtre et dans la symphonie. Le développement de
l'orchestre a trouvé une impulsion nouvelle qui s'est prolongée
chez Beethoven et après lui pendant tout le XIX<sup>e</sup> siècle. La
multiplication des vents et la naissance de l'orchestre d'harmonie ne seraient-elles pas à l'origine de tel emploi particulier et nouveau des trompes de chasse dans l'ouverture du
*Jeune Henry* de Méhul (1795), ou d'un quintette de vents solistes dans celle des *Comédiens ambulants* de Devienne (1797) ?
On aurait tort de ne chercher de suite aux hymnes patriotiques que dans les œuvres obéissant aux mêmes préoccupations. Celles-ci d'ailleurs ont reparu de façon toute sporadique.
Napoléon s'efforça, tout en réintroduisant les Messes et les
*Te Deum*, de garder la part des musiques civiques qu'il pouvait
détourner à son profit. Fait étrange : sous l'Empire, où l'armée
fut au premier plan de la vie publique, la musique militaire
ne s'est guère enrichie et les cantates profanes, soi-disant
héritières des hymnes patriotiques, sont d'une solennité morose
et académique. Les Bourbons ne favorisèrent évidemment
pas le relèvement d'une telle littérature ! Les journées de 1830
créèrent un climat révolutionnaire qui inspira à Berlioz son
harmonisation de *La Marseillaise*, *Le 5 Mai*, le *Chant des
Chemins de Fer*, l'*Hymne à la France* et surtout la *Grande
Symphonie funèbre et triomphale* pour harmonie et chœur,
fusion romantique de Beethoven et des maîtres de la Révolution. Par son sens du grandiose, son souffle généreux hérité
de son maître Lesueur, illustrateur des Fêtes Nationales, par
sa rupture définitive avec tout classicisme, Berlioz fut regardé
après Beethoven par toute l'Europe comme le musicien de la
Révolution Française. Cette flambée nouvelle et subite de
musiques civiques avait été enfantée par la Monarchie de

Juillet malgré elle ; elle la combattit plutôt qu'elle ne l'encouragea. Napoléon III, à son tour, essaya de ramener une partie de ces musiques à son usage, sans aboutir à un résultat plus heureux. L'exécution de l'*Offrande à la Liberté* de Gossec sous la Commune (1871) prouva que seules des circonstances historiques — elles devaient se retrouver avec le Front Populaire (1936-1939) — donneraient aux hymnes de la Révolution Française l'occasion de reparaître et d'inspirer une musique qui n'en retiendrait pas seulement les côtés extérieurs. Pour atteindre et réaliser la grandeur architecturale, l'art musical devait être lié plus qu'aucun autre à des contingences matérielles.

Le mûrissement des idées nouvelles est toujours long ; l'idéal républicain n'a trouvé d'expression achevée que longtemps après ses premières manifestations. Il suffit pour s'en convaincre de comparer un poème des *Châtiments* avec les paroles de n'importe quel hymne — y compris *La Marseillaise !* — ou encore la *Symphonie Héroïque* avec les meilleures pages instrumentales de la Première République... Mais ne systématisons pas. Sainte-Beuve, qu'on ne suspecterait guère de sympathies vis-à-vis de la Révolution, considérait que « ... quatre ou cinq strophes de l'*Ode sur le vaisseau* « *Le Vengeur* » de Lebrun constituent ce que l'époque républicaine a produit de meilleur en poésie ». *La Marseillaise* reprise par Schumann, Wagner et tant d'autres compositeurs est restée jusqu'à nos jours l'incarnation sublime de cette même période historique. Celle-ci a vu s'élever à de véritables sommets bien des talents mineurs.« Il ne faut pas faire la part de l'individu trop exclusive, même dans les œuvres individuelles », écrivait Lazare Carnot qui ajoutait, parlant toujours de *La Marseillaise* : « Les grandes circonstances font naître les grandes productions et les grandes circonstances sont dues à l'action des masses. » N'y aurait-il que cette *Marseillaise* pour nous communiquer le frisson héroïque, cela suffirait à prouver qu'en art la Révolution pouvait inspirer de grandes choses. Elle entraîna à l'audition et à la pratique musicale un public singulièrement élargi. Mais, au XIXᵉ siècle, l'enseignement musical fut chichement dispensé, la subdivision s'instaura entre la grande musique... et l'autre ! Le public lui aussi se morcela. Telle fut l'origine de ce fameux divorce entre l'artiste et l'auditeur, divorce que l'on fait généralement remonter à Beethoven. Mais, avec plus ou moins de conscience, bien des musiciens dont les plus grands ont aspiré jusqu'à nos jours à revivre l'exaltante expérience des membres de l'Institut National.

# Chapitre II

# A LA VEILLE DU ROMANTISME (1800-1829)

Au cours du Consulat et de l'Empire, l'opinion publique est polarisée par les faits d'armes ; aucun événement, aucune polémique artistique ou intellectuelle ne l'en détournera. Bonaparte limite la liberté d'expression : Chateaubriand et Mme de Staël écrivent en exil, la plupart des peintres se bornent à retracer fidèlement les grandes batailles... Une activité artistique aussi mince contraste avec le bouillonnement extraordinaire de la Révolution. Bonaparte ne cache pas sa préférence pour la musique italienne « qui ne fait pas de bruit » et « ne l'empêche pas de songer aux affaires de l'Etat » (Cherubini) ! Or, cette musique est désormais axée vers le seul théâtre et son prestige social s'accroît alors que son déclin artistique se précise. Bonaparte impose la présence même des maîtres italiens qu'il révère. Il amorce également un retour à des formes d'organisation anciennes (1) : la Chapelle Consulaire qu'il crée en 1800 deviendra la Chapelle Impériale (1805) et, avec le retour des Bourbons (1815), la Chapelle Royale.

Sous les règnes de Louis XVIII et de Charles X, le classicisme jette ses feux attardés et voit disparaître tour à tour ses derniers représentants : Grétry (1816), Méhul, Monsigny (1817), les frères Duport (1818-19), Viotti (1823), Gossec (1829), Rode et Catel (1830). Sauf Cherubini, ceux qui mourront après 1830, tels Kreutzer (1833), Guénin (1835), Plantade (1839) ou Louis Jadin (1853), cesseront à cette dernière date d'occuper un poste officiel et de jouer un rôle dans la vie publique.

Au théâtre et à l'église, on s'achemine vers une hégémonie italienne. Au concert, les instruments et, ce qui est plus grave, les formes instrumentales sont abandonnés à des étrangers venus chercher l'hospitalité et la consécration. La musique de chambre et la symphonie s'enlisent dans la redite. De la mort

(1) L'institution du Prix de Rome destiné à couronner les études musicales (composition d'une cantate suivie d'un séjour à la Villa Médicis) date de 1803.

de Gaviniés (1800) à l'arrivée de Paganini (1830), l'école française de violon est dominée par un italien d'origine, Jean-Bap-
tiste Viotti (1755-1823). Elle conserve une réputation fondée
davantage sur l'exécution ou l'enseignement que sur la
composition proprement dite. Rodolphe Kreutzer (1767-1833)
sera le dédicataire (et le dédicataire dédaigneux !) d'une sonate
de Beethoven. Les frères Duport poursuivent leur carrière à
l'étranger, ainsi que leur élève Platel (1777-1835). Rode (1774-
1830) et Baillot (1771-1842) s'illustrent comme solistes ou
quartettistes, mais le quatuor, en tant que forme d'expression,
n'est plus cultivé en France depuis la mort de Pierre Vachon
(1801) que par des italiens francisés : Benincori (1779-1821),
Cambini (1746-1825) et Cherubini. Celui-ci mettra un terme
à la symphonie classique avec sa *Symphonie en ré* (1815),
postérieure aux quatre symphonies de Méhul (1790-1804) et
aux dernières *Symphonies à dix-sept parties* de Gossec (1809).
En ce début de siècle où Beethoven domine toute l'Europe,
l'art instrumental débouche en France sur une impasse.
Dans la vie musicale, sa place est des plus réduites. Le concert
ne reprendra de l'importance qu'avec la fondation par Habeneck de la Société des Concerts du Conservatoire (1828).

   La musique en général est menacée de pétrification et la
routine est assez tenace pour que les esprits les moins conformistes soient plus audacieux dans leurs écrits que dans leurs
compositions.

   Un tchèque d'origine, Antonin Reicha (1770-1836), enseigne
à Paris le développement des formes, révèle la beauté des
modes, prône une certaine liberté rythmique... Ces idées
alors bien neuves ne seront développées, et encore assez in-
complètement, que par ses élèves Gounod, César Franck et
Berlioz. Celui-ci apparaît à l'horizon avant 1830. Ses *Huit
Scènes de Faust*, soit près de la moitié de *La Damnation de
Faust*, datent de 1828. Berlioz, comme les poètes Lamartine
et Hugo, les peintres Géricault et Delacroix, annonce le réveil
d'un art dont la marche ascendante avait été momentanément
freinée.

## I. — Les dernières manifestations
## de la tragédie classique et de l'opéra-comique

   Parmi les continuateurs de Gluck (que Napoléon
dédaigne !) figure au premier plan Etienne-Nicolas
Méhul (1763-1817). Cet élève d'Edelmann dirigea
le Conservatoire après y avoir enseigné la compo-

sition. Il avait publié avant la Révolution de remarquables sonates pour pianoforte (1788) et fait entendre au Concert Spirituel des odes (perdues) sur
des vers de J.-B. Rousseau (1783), préfiguration
des hymnes patriotiques *(Chant du Départ, Chant
du Retour, Hymne à la Raison)* et des cantates
de circonstance *(Chant du Retour de la Grande
Armée)* qu'il devait écrire à l'intention des Fêtes
Nationales ou Impériales. Ses opéras *(Ariodant,*
1799), d'une déclamation sobre et exacte et d'une
orchestration ouvragée, ont de la noblesse et atteignent par moments à une certaine majesté. Méhul,
impressionné par le savoir de son ami Cherubini,
réapprit son métier au seuil de la quarantaine et
donna son chef-d'œuvre, l'opéra biblique *Joseph*
(1807). Jean-François Lesueur (1760-1837) avait
fait représenter sous la Révolution *La Caverne*
(1793), *Paul et Virginie* (1794) et *Télémaque* (1796).
Les Fêtes Nationales lui permirent de réaliser ce
qu'il avait entrevu dans son *Exposé d'une musique
une, imitative et particulière à chaque solennité*
(1787). Il reconnaissait que « ce qui est surtout du
ressort de la musique, ce sont les sentiments »
et il entrevoyait l'avenir de son art dans une synthèse des goûts italiens et allemands. Ces préceptes
ne trouveront leur véritable application que chez
les élèves de Lesueur (Gounod, Berlioz) beaucoup
plus que chez Lesueur même, car son talent n'était
pas à la hauteur de ses ambitions. Avec *Sémiramis* (1802), *Les Bayadères* (1810), *Wallace* (1817),
Charles-Simon Catel n'a confirmé que partiellement
les promesses de *La Bataille de Fleurus*. Le premier
professeur d'harmonie du Conservatoire a échappé
à un oubli un peu injuste par son *Traité d'Harmonie*
maintes fois réédité. Henri-Montan Berton (1767-
1844) occupa les mêmes fonctions au Conservatoire

et prouva une hostilité aussi vive envers l'italianisme
dans ses opéras *(Montano et Stéphanie)* et opéras-
comiques. Ses écrits contiennent de curieux points
de vue que l'artiste n'a guère mis en pratique.

A partir de 1803, Gasparo Spontini (1774-1851)
s'établit en France. Il devient compositeur de la
Chambre de l'Impératrice Joséphine et chef d'orchestre au Théâtre-Italien (1810-1812). *La Vestale*
(1807), *Fernand Cortez* (1809), *Olympie* (1819) ont la
pompe un peu creuse du règne qui les a vus naître
et a fait leur triomphe. Mais on y décelera un désir
sincère d'élargir le genre par une alliance de Mozart
et de Gluck et un sens de l'instrumentation qui n'a
pas échappé à l'attention de Berlioz.

Après le départ de Spontini (1820), la tragédie
classique gluckiste cède le pas à l'opéra historique
avec lequel Rossini termine sa carrière (*Le Siège
de Corinthe*, 1826 ; *Guillaume Tell*, 1828), tandis
qu'Auber ouvre la sienne (*La Muette de Portici*, 1828).

Méhul (*Les deux Aveugles de Tolède*, 1800),
Catel (*L'Auberge de Bagnères*, 1803), Devienne
(*Les Visitandines*, 1792), Nicolo (Nicolas Isouard
dit — 1775-1818), auteur des *Rendez-vous bourgeois*
(1807), redonnent à l'opéra-comique un peu de
cette vitalité qui l'avait déserté vers 1780, sans
toutefois connaître des succès comparables à ceux
de Boïeldieu (1775-1834). Le compositeur adulé de
*La Dame blanche* (1825) fut entre 1803 et 1812
directeur de l'Opéra Impérial de Saint-Pétersbourg
et inspecteur des musiques militaires du Tsar. Sa
mélodie coulante, d'un charme souriant, son orchestration brillante, quelques accents de sincérité
ne compensent que bien faiblement la pauvreté
insigne de l'harmonie, la désinvolture de cet art
peu en rapport avec les situations et que guettent
les poncifs et la gratuité des futurs opéras italiens.

Malgré son effacement, l'*opera-buffa* n'avait pas
perdu de son emprise sur le public. Sous l'Empire,
Méhul n'avait pu faire représenter son opéra-comique *L'Emporté* (1804) qu'en passant incognito
et après en avoir fait traduire le livret *(L'Irato)*.
Avec *Le Barbier de Séville* (1820), Rossini rénove
le genre bouffe italien. Il incite à recourir aux artifices du *bel canto* et pousse à la fusion des styles.
Les opéras historiques de Meyerbeer comprendront
des airs et ensembles comiques précédant les scènes les plus dramatiques. Sous la Restauration,
Rossini s'illustre dans l'opéra-comique (*Le Comte
Ory*, 1824), ainsi qu'un autre italien, Ferdinand
Paër (1771-1840), qui deviendra après 1830 le musicien officiel de Louis-Philippe. Un seul air : « Ah !
quel plaisir de pressentir ma gloire » (1), rappelle
encore l'existence de son unique ouvrage sur texte
français : *Le Maître de Chapelle* (1820). Dans ses
premiers opéras-comiques (*Le Muletier*, 1823),
Louis-Ferdinand Hérold (1791-1833) use du *bel
canto*. Une harmonie et une orchestration plus fouil-
lées, une veine plus robuste rachètent par moments
une déplorable absence de goût. L'auteur de *Zampa*
(1832) et du *Pré-aux-Clercs* (1833) était cependant
un musicien instruit : mort au moment où il
« commençait à comprendre la musique », il eût
peut-être produit des ouvrages de valeur...

Que reste-t-il de tous ces opéras et opéras-comiques qui firent longtemps la base du répertoire
et furent même placés sur un pied d'égalité avec
ceux de Mozart, de Gluck et de Weber ? Des ouvertures comme celles du *Calife de Bagdad* ou du *Jeune*

---

(1) Cet air, manifestement inspiré d'intermèdes bouffes italiens
comme *Il Maestro di Capella* de CIMAROSA, ressemble étrangement
à la *Critique de l'Opéra* de la comédie *Le double veuvage* de DUFRESNY
(1702).

*Henry* ont sauvé de l'oubli les titres d'opéras-
comiques qui, par ailleurs, n'offrent guère d'intérêt.
Les compositeurs furent obligés pour vivre de se
consacrer au théâtre au détriment des instruments
pour lesquels ils étaient sûrement plus doués. On
le supposerait volontiers en comparant les quatuors
avec les opéras-comiques de Dalayrac, les fragments
symphoniques, les sonates pour piano avec les
opéras de Méhul... De Catel encore, les ouvertures
(*Sémiramis, L'Auberge de Bagnères*) confirment
plus que les airs et chœurs ce que l'on pouvait
espérer de celui qui signait à vingt ans son *Ouverture en ut mineur* pour harmonie. L'orchestre,
plus que les voix, est alors source d'invention.
Tel solo de trombone au début d'*Ariodant*, accom-
pagné par trois parties de violoncelles, ou la division
encore plus poussée du quatuor dans l'introduction du *Chant funèbre sur la mort de Haydn* (1810)
de Cherubini ne sont que des exemples pris au
hasard et qui témoignent d'un essai de renouvellement, sinon du langage symphonique, du moins
de son vocabulaire. Ce ne sont là que des tentatives
encore timides mais auxquelles Berlioz ne fut sûrement pas indifférent.

## II. — La fin de la musique religieuse classique

Le retour à la liturgie catholique après le Concordat entraîne le renouvellement du répertoire des
Maîtrises et des Chapelles. Comme au temps de
Louis XIV, les Messes et les *Te Deum* célébreront
les victoires et les Fêtes Impériales ou Royales,
autant sinon plus que les cantates profanes. Napoléon affiche là aussi un penchant évident pour
l'art ultramontain : parmi les messes de son cou-
ronnement, il choisit celle de Paisiello, plutôt que

celle de Méhul, comme il avait préféré en 1797 la
*Musique Funèbre pour Hoche*, également de Paisiello, à celle de Cherubini, d'origine et de formation
italiennes mais d'inspiration française. Ce Floren-
tin naturalisé depuis 1788 va dominer les quinze
années de la Restauration. Maître de Chapelle de
Louis XVIII et de Charles X, inspecteur puis
directeur du Conservatoire, il tient de Sarti une
connaissance solide et alors peu répandue de l'écriture et de l'instrumentation. Elle apparaît tout
particulièrement dans ses motets *(Iste Die*, *Ave
Maria*, *Inclina Domine)*, messes *(Troisième en la*
pour le sacre de Charles X) et *Requiem* (1819 ;
1836 à voix d'hommes). Cherubini fut un des
derniers classiques, tout spécialement dans le
domaine sacré. L'étincelle du génie a fait défaut
à cet artiste consciencieux et honnête qui fut dans
ses opéras *(Médée*, 1798, livret français) et compositions civiques *(Hymne à la Victoire*, 1796 ; *Ode
sur le 18 Fructidor*, 1798) à la pointe du mouvement
musical et qui finit ses jours accroché à un passé
qu'il regardait mourir.

Charles-Henri Plantade (1764-1839), plus connu
comme auteur de romances, entra au service du roi
de Hollande et fut le Maître de Chant de la reine
Hortense. Il dirigea la scène à l'Opéra de Paris
et termina sa carrière comme Maître de Musique
à la Chapelle Royale. Ses motets et ses messes
*(Super Flumina Babylonis*, *Messe pour le Mercredi
des Cendres)* sont restés pour la plupart manuscrits.
Ces compositions, dont la plus intéressante est sans
doute la *Messe de Requiem*, sont d'une facture
moins ferme que celles de Cherubini mais d'une
plus grande chaleur mélodique et harmonique. On
y relève de curieuses recherches d'effets orchestraux
qui font pressentir Berlioz.

Jean-François Lesueur a cultivé aussi bien la messe que le motet, mais il fut le seul à se consacrer encore à l'oratorio. Dans *Rachel, Ruth et Noémie...* l'homophonie héritée de Gluck est de règle ; cet art par trop statique sous-entend — des indications en font foi — la représentation scénique. Entre l'église et le théâtre, les limites sont de moins en moins tranchées. Jusqu'aux *Béatitudes* de Franck, l'oratorio participe autant de la scène que du concert.

### III. — L'apogée et le déclin de la romance

Sous la Révolution, la romance, peu susceptible d'une expression collective, connaît une éclipse passagère. Aux thèmes d'actualité (*Romance sur la mort du jeune Bara* de Devienne) font place vers 1795 les anciens sujets d'inspiration pastorale et médiévale. L'évocation du « bon vieux temps » définira plus particulièrement la romance impériale. « Grâce aux troubadours, écrit le *Journal de l'Empire*, la douce voix de nos belles que soutiennent les accords brillants du piano ou de la harpe et la voix enrhumée du chansonnier qu'accompagnent les sons discordants de l'orgue portative célèbrent à la fois dans les salons et dans les carrefours la gloire des anciens bardes de la Provence et de l'Occitanie. » Gossec, Méhul, Cherubini impriment à leurs romances la marque de leur talent supérieur. D'autres se consacrent au genre, dont ils se font les véritables spécialistes, tels P.-J. Garat (1764-1823) ou Plantade. « Les femmes mêmes auxquelles le succès des romances est confié ne se bornent pas à la gloire de les faire valoir, elles veulent partager celle d'en faire » (général-baron Thiébault). Parmi elles, citons la reine Hortense de

Beauharnais (1773-1837), duchesse de Saint-Leu,
mère de Napoléon III et longtemps tenue pour
l'auteur de *Partant pour la Syrie*. La tentation
d'écrire et de chanter des romances s'empare
également de compositeurs ou d'interprètes occa-
sionnels tels C. d'Ennery (17..-18..) ou Lemoyne
(1772-1815). La romance connaît une telle vogue
qu'elle s'insère plus souvent que jamais dans les
opéras-comiques ; elle s'introduit même dans les
opéras. A travers une telle floraison, les déchets
ne manquent pas et les pertes sont nombreuses.
Dès 1804, Jérôme-Joseph de Momigny recommandait
dans le Dictionnaire de son *Cours d'Harmonie
et de Composition* que l'on fît « un autodafé de
toute la mauvaise musique à commencer par les
romances ».

Cette sentence est peut-être sévère. La romance
dans ses meilleurs spécimen qu'on peut trouver
indifféremment sous la plume de grands ou de
petits maîtres n'est pas toujours aussi larmoyante,
aussi simpliste qu'auparavant ; elle tend même
dans la « scène » dont Spontini fournit les premiers
échantillons (*Sensations douces et mélancoliques*,
1804) à s'agrandir et à se rapprocher du théâtre.
L'accompagnement pousse alors plus loin ses recherches d'écriture mais reste cependant discret.

Le renom de la romance franchit les frontières.
Après Mozart, Beethoven (*Que le temps me dure*,
1793) et Weber (*Elle était jeune et gentillette*, 1824)
composent des romances originales sur paroles
françaises. Schubert choisit pour motif de ses variations opus 10 à quatre mains *Le beau Chevalier*
de la reine Hortense. S'agit-il seulement de ren-
contres fortuites ? Telle page de Méhul (*L'infor-
tunée Lyonnaise*), de Boieldieu (*Au sein des plaisirs
et des ris*), de d'Ennery (*Marie Stuart*), de Louis

Jadin *(Chanson ; La Mort de Werther)* ou de son frère Hyacinthe (1769-1800), comme la *Romance à la Lune* (av. 1800), a déjà certaines caractéristiques sinon la physionomie complète d'un lied de Schubert. Par ses rapports étroits avec la poésie, par son évolution un peu en marge du théâtre, échappant ainsi à l'emprise italienne, la romance représente l'expression musicale la plus originale et la plus typique de l'Empire. Mais l'absence, comme au temps de l'Air Sérieux et de l'Air à Boire, de grand poète lyrique et aussi celle, plus regrettable, d'un musicien de génie expliquent facilement ses limites.

Sous la Restauration, les tyroliennes, barcarolles, boléros, tarentelles, nocturnes, chansonnettes inondent les salons. Vers 1825 apparaît la romance dialoguée où un troisième instrument vient ajouter une note pittoresque ou expressive.

La romance, en proie à une véritable industrialisation, décline. Concone, Bruguières, de Beauplan, Romagnési, Pauline Duchambge, auxquels se joindront après 1830 Loïsa Puget, François Masini, Frédéric Bérat *(Ma Normandie)*, Paul Henrion... seront les intarissables pourvoyeurs de piécettes plates et niaises.« La romance Loïsa Puget est parvenue à son point d'abrutissement extrême » s'écriera Gounod au moment même où Liszt et le ténor Nourrit révéleront en France les lieder de Schubert. Louis Niedermeyer (1802-1861), auteur du *Lac*, Hippolyte Monpou (1804-1841), Henri Reber (1807-1880), surtout connu par son *Traité d'Harmonie*, élaboreront avec plus de soin leurs pièces vocales et serviront d'exemple à Gounod. En conservant plus ou moins la coupe strophique d'allure semi-populaire, en s'assimilant quelques subtilités d'écriture, la romance se maintiendra dans les salons jusque vers 1920, malgré l'apparition et le développement de la mélodie. Pierre Dupont, Anatole Lionnet, Gustave Nadaud, Augusta Holmès, Paul Delmet, Cécile Chaminade, sans oublier les plus grands musiciens, produiront quantité de romances d'un charme un peu désuet mais dont certaines sont réellement inspirées.

---

# DEUXIÈME PARTIE

# *DU ROMANTISME AU SYMBOLISME*

———

## Chapitre III

## L'AMORCE D'UN RENOUVEAU (1830-1870)

Tandis qu'en Allemagne Schumann publie ses premières œuvres, Chopin et Liszt débarquent à Paris où règne une grande effervescence intellectuelle. 1830 sonne le triomphe du romantisme en France : Victor Hugo remporte la bataille d'*Hernani*, Delacroix expose sa *Liberté guidant le Peuple* et Berlioz fait retentir les « feux et tonnerres » de sa *Symphonie fantastique*.

Le théâtre est au premier plan de la vie musicale comme de la vie littéraire. L'art lyrique italien règne sans partage. Dans le cadre usé, sclérosé, d'un opéra conventionnel, les sentiments sont moins profondément sentis qu'ils ne sont l'occasion d'effets brillants et faciles obtenus avec des formules rebattues. Tout compositeur doit — serait-ce contre son propre tempérament ! — se plier aux exigences d'un public qui n'admet et ne conçoit guère d'autres formes d'expression. Rossini s'est retiré après *Guillaume Tell*, mais ses œuvres se maintiennent à l'affiche avec un succès constant que connaîtront à leur tour ceux de Bellini (*Les Puritains*, 1833), de Donizetti (*La Favorite*,

*La Fille du Régiment*, 1840), de Meyerbeer,
d'Halévy, d'Auber... Toutes ces grandes « machines »,
romantiques par le sujet mais italiennes ou italia-
nisantes par le style, n'ont guère résisté à l'épreuve
du temps ; elles ne pouvaient convenir qu'à un
auditoire avide de prouesses vocales, de grands
effets de mise en scène ou d'orchestre tapageurs et
vains.

Ceux qui se consacrent entièrement aux instruments tels Henri Reber, Georges Onslow (1784-
1852), Alexandre Boëly ( 1785-1858), se contentent
de démarquer les classiques ou les premiers romantiques. Ils n'ont guère d'audience en dehors de
cercles réduits : l'un d'eux, Théodore Gouvy (1819-
1898) sera même obligé de s'exiler en Allemagne pour
continuer à vivre de ses symphonies et de sa musique
de chambre ! Les instruments solistes ne trouvent
grâce auprès des fervents du *bel canto* que si une
large part est faite à la virtuosité et si les thèmes
sont empruntés au répertoire lyrique ; d'où cette
profusion de variations, pots-pourris, fantaisies
et caprices, aujourd'hui inaudibles. Les seuls virtuoses applaudis à Paris sont encore des étrangers :
Heller, Thalberg, Paganini, Chopin, Liszt ; malgré
leur succès de compositeurs, ces deux derniers
n'exerceront guère d'influence immédiate.

Contre cet effroyable déferlement de mauvais
goût, quelques esprits réagissent. Déjà Alexandre
Choron (1771-1834), chargé de réorganiser les maîtrises, avait tenté de soustraire la musique religieuse
au théâtre en proposant les chefs-d'œuvre sacrés du
passé comme base de la formation de véritables
musiciens d'église. Joseph-Napoléon Ney, Prince
de la Moskowa (1803-1857) et fils aîné du maréchal,
s'engage dans une voie analogue. Il ne se contente
pas comme le premier bibliothécaire du Conser-

vatoire André Eler (1764-1821) de transcrire des
pièces polyphoniques de la Renaissance ; il les fait
revivre au cours des séances de sa « Société de Musique Vocale Religieuse et Classique « (1843-1847),
essentiellement composée de membres de la noblesse
impériale ou de la vieille aristocratie. Le sous-direc-
teur Louis Niedermeyer donnera suite à cette
expérience éphémère et curieuse en fondant une
école de musique où viendront se former Fauré
et Henry Expert à qui l'on devra la résurrection
définitive des maîtres de la Renaissance. Boëly
et Farrenc rééditent, après Clementi, des classiques
de l'orgue ou du clavecin, Mendelssohn vient révéler
Bach. Toutes ces oppositions éparses contre le
courant général seront de faible poids. Le romantisme
est apparu en France dans un contexte défavorable
qui suffirait à expliquer que Berlioz, égal de Liszt,
de Chopin et des romantiques allemands, ait fait
figure de génie solitaire et fugitif.

1848 voit la fin du romantisme dont 1830 avait
marqué le triomphe. Compte tenu de l'importance
que le théâtre conserve dans la musique comme dans
la littérature, c'est à la scène que se dessine un
mouvement antiromantique et, par synonymie,
anti-italien. Le grand opéra historique italien ou
italianisant décadent va faire place à un art lyrique
plus soucieux de musicalité, de mesure et, sinon
de vérité, du moins de vraisemblance ! Halévy
(† 1862) et Meyerbeer († 1864) continuent de régner
certes comme Auber († 1871), mais la même réaction anti-italienne se déclenche en France comme
en Russie, Hongrie, Bohême et Pologne. En Italie
même, Verdi depuis la disparition de Bellini (1835),
de Donizetti (1848) et de Spontini (1851) maintient
pour un temps une tradition que l'étranger rejette
et s'oppose à Wagner dont *Tannhäuser* et *Rienzi*

seront fraîchement accueillis à Paris en 1863 et 1869.
Ces créations houleuses et celles, encore plus mal-
heureuses, des derniers ouvrages de Berlioz n'ébran-
leront pas la forteresse de l'italianisme de manière
aussi décisive que celles des ouvrages de Gounod
ou d'Offenbach. Ces deux musiciens appartiennent
au Second Empire par leurs succès et leur carrière,
quel que soit l'intérêt de certains de leurs ouvrages
antérieurs ou postérieurs. Ils en incarnent des qualités dont la valeur apparaît surtout en comparaison avec la production romantique moyenne ;
ils ne sont pas aussi sans refléter la frivolité et la
suffisance médiocre d'une société qui, par ses jouis-
sances et ses plaisirs, cherche à se soustraire à ses
contradictions économiques et politiques. Celles-ci
éclateront au grand jour et conduiront à la guerre
franco-prussienne (1870) et à la Commune de
Paris (1871).

Berlioz qui disparaît en 1869 n'a essuyé que des
échecs au théâtre. Au concert, il n'a rencontré
qu'un succès de curiosité éphémère auprès d'un
public à peine moins conservateur. Mais après
1850, au lendemain de la mort de Chopin et du
départ de Liszt, des instrumentistes-compositeurs
français apparaissent ; sensibles aux efforts de
Berlioz, ils essaient de faire revivre les formes instrumentales encore délaissées. Les pianistes Bizet
et Saint-Saëns, l'organiste César Franck, le violo-
niste-altiste de quatuor Edouard Lalo se signalent
déjà à l'attention avant 1870 ; à travers leurs premiers essais ils évitent, serait-ce partiellement,
l'imitation servile jusqu'alors naturellement admise
des modèles consacrés. Citons parmi leurs premières
œuvres instrumentales datant de cette période :
le *Trio en fa* (1867) et le *Deuxième Concerto pour
piano en sol mineur* (1868) de Saint-Saëns, la *Pre-*

*mière Symphonie en ut* (1854) de Bizet, la *Sonate pour piano et violon* (1855) de Lalo...

Le renouveau de l'opéra, la création de l'opérette, l'élargissement du public des concerts avec les Concerts Populaires de Pasdeloup (1861) sont les signes avant-coureurs significatifs d'un renouveau, plus général encore, qui suivra la guerre de 1870.

## I. — Hector Berlioz (1803-1869)

**1. La vie.** — Né à La Côte-Saint-André (Isère), Berlioz aura eu pour premiers contacts avec la musique les chansons de pâtre, la musique d'église et des groupes d'amateurs auxquels il aura cherché à se joindre, s'essayant à la flûte et à la guitare, les seuls instruments qu'il aura pratiqués. D'aucuns ont vu ici l'explication du processus de composition de Berlioz imaginant des mélodies, voire des monodies, et concevant leur harmonisation à partir de timbres contrastés et non du piano ou de l'écriture scolaire à quatre voix. A vingt-cinq ans, Berlioz abandonne l'étude de la médecine pour celle de la composition. Après quelques essais infructueux, le Prix de Rome vient couronner en 1829 les études entreprises au Conservatoire sous la direction de Lesueur et de Reicha. Mais un an auparavant, un premier concert a attiré sur lui l'attention ; il a fait parvenir à Gœthe le manuscrit de *Huit Scènes de Faust*. Cette cantate, ainsi que les ouvertures des *Francs-Juges* (1827), de *Wawerley* et de *La Tempête* (1830) et les premières mélodies du recueil *Irlande* (1829-1830) révèlent son intérêt passionné pour Shakespeare, Gœthe, Byron, Walter Scott... Le théâtre l'attire mais il voue un même culte à Beethoven qu'à Gluck ou à Weber. En 1830 il s'éprend d'une actrice anglaise, Harriet Smithson, qu'il épousera trois ans plus tard. La *Symphonie fantastique* (1830) relate un drame inspiré par cette passion toute romantique. Elle illustre de façon éclatante les idées exprimées par Berlioz lui-même dans un article quelque mois auparavant. Berlioz ne cessera jusqu'en 1863 de défendre ses conceptions esthétiques dans les feuilletons du *Correspondant* ou des *Débats*. Quelques-uns seront rassemblés dans des recueils qu'on se dispensera d'énumérer, mais qui situent Berlioz parmi les meilleurs prosateurs de son temps.

Après son séjour à Rome, il connaît au concert et au théâtre des succès triomphants alternant avec des échecs scandaleux. De cette époque datent les ouvertures du *Roi Lear* (1831) et de *Rob-Roy* (1832), les mélodies *La Captive* (1832) et les recueils *Nuits d'Eté* (1834-1841) et *Feuillets d'Album* (1834), la symphonie avec alto solo *Harold en Italie* (1834) où il relate quelques souvenirs de son séjour dans la péninsule ; la *Grand-Messe des Morts* (1837), l'opéra historique *Benvenuto Cellini* (1838), la symphonie avec chœurs *Roméo et Juliette* (1839), la *Grande Symphonie funèbre et triomphale* (1840) pour harmonie militaire avec chœurs.

En 1842, Berlioz entreprend sa première tournée de concerts à l'étranger. Elle le mène à Bruxelles et dans les principales villes allemandes. Les années qui suivent voient seulement paraître le *Traité d'Instrumentation* (1841) et l'ouverture du *Carnaval romain* (1841) faite de motifs empruntés d'ailleurs à *Benvenuto Cellini*. Berlioz est alors tout occupé par la composition de *La Damnation de Faust*, version agrandie des *Huit Scènes de Faust*. Sa création à l'Opéra-Comique est plus qu'un échec ; elle est cause de ruines. Berlioz, qui vient auparavant d'accomplir une deuxième tournée à

l'étranger (Prague, Budapest), se rend à Moscou,
Saint-Pétersbourg et Berlin. Il dirige à Londres un
orchestre. Ces expédients ne le sauvent guère. La
chute de Louis-Philippe lui fait espérer trouver
auprès des pouvoirs publics une meilleure compréhension. Il compose alors un *Te Deum* (1849)
qui ne sera exécuté qu'en 1855. Il salue l'arrivée
au pouvoir de Napoléon III par une cantate,
*L'Impériale* (1853). Après un nouveau voyage
en Allemagne, il retrouve un succès passager avec
*L'Enfance du Christ* (1854), dont il avait fait passer
certain chœur pour l'œuvre oubliée d'un maître
de chapelle du XVIIe siècle. Après avoir été nommé
bibliothécaire au Conservatoire, il est élu à l'Institut
(1856). Mais *Les Troyens* (1863), considérablement
mutilés, passent inaperçus. Cette « tétralogie
latine », dans laquelle Berlioz espérait contreba-
lancer Wagner et entamer l'omnipotence de Meyerbeer, échoue. En 1862, il compose encore un opéra-
comique *Béatrice et Bénédict* à la demande du casino
de Bade. Il publie ses *Mémoires* (1865) et entreprend son dernier voyage en Russie et en Europe
centrale (1866-1868). Il écrit quelques récitatifs
pour le *Freischütz*, orchestre *Le Roi des Aulnes*
et *Plaisir d'Amour*, encourage la reprise des ouvrages de Gluck... Attristé par les chagrins fami-
liaux et l'incompréhension générale, faiblement
compensée par l'amitié attentive de Reyer et de
Saint-Saëns, Berlioz meurt en mars 1869.

2. **L'esthétique de Berlioz.** — Berlioz ne peut
concevoir une musique « sans l'unir à un drame ou
la situer dans un décor » (A. Boschot). Il est tout
naturellement poussé vers le théâtre et, malgré ses
échecs, il ne perdra jamais l'espoir d'y réussir. Mais
il voit aussi dans ce qu'il appelle lui-même « le
genre instrumental expressif » une forme d'expres-

sion supérieure dans laquelle, suivant l'exemple
de Beethoven, il introduira précisément l'esprit
du drame. Ses compositions symphoniques, si elles
ne se rattachent pas d'une manière ou d'une autre
à un ouvrage lyrique, illustreront toujours un
argument littéraire d'origine subjective. Berlioz
donne la primauté aux sentiments sur le pittoresque.
Ses ouvertures de concert préfigurent plus particulièrement en ce sens les poèmes symphoniques
de Liszt ou de Strauss, en résumant les idées direc-
trices d'un drame plutôt que son sujet proprement
dit.

Dans la double impossibilité de réussir à la scène
et de se maintenir au concert, Berlioz aura été
amené à une sorte de compromis pour déployer,
en dehors de toute contrainte, ses dons de drama-
.urge et de symphoniste. Ils atteindront leur complet épanouissement à travers quelques partitions
dont l'exécution en oratorio peut être préférée à la
représentation scénique, même si des fragments
lyriques ou chorégraphiques paraissent plus spécialement destinés au théâtre. C'est dire combien elles
échappent à toute classification, mettant Berlioz
lui-même dans l'embarras pour justifier ces étran-
getés de conception et de facture (1). Leur intérêt
n'est pas égal : *Lélio* qui fait suite à la *Symphonie
fantastique* n'est qu'une touchante caricature du
romantisme et de ses puérilités vieillottes, mais
*Roméo et Juliette* contient déjà des pages géniales.
C'est dans *La Damnation de Faust* que Berlioz
reconnaîtra lui-même s'être le mieux réalisé. Cette
« légende dramatique » semble avoir toujours été
mieux appréciée au concert ; le pouvoir évocateur
des chœurs, des airs et des morceaux purement

_____

(1) Cf. Avant-propos de *Roméo et Juliette*.

symphoniques, la diversité des scènes — il faudrait les citer toutes ! — lui ont assuré et lui assureront encore une juste gloire, malgré quelques pages « qui n'ont plus pour nous d'autre signification que celle du ridicule » (P. Dukas).

Que *La Damnation de Faust* traduise ou non les passions de l'auteur, l'expression en est toujours profondément sentie, le génie mélodique voire monodique de Berlioz y triomphe ; jamais il n'a revêtu et ne revêtira une plus somptueuse parure harmonique et instrumentale.

Berlioz n'illustre guère les conclusions philosophiques de Gœthe et passe pour « creux » auprès de Wagner ; mais il retrouve la puissance de la méditation gœthéenne dans l'*Invocation à la Nature*, sommet de la partition la plus riche que la musique française ait destinée au concert au cours du XIXᵉ siècle.

Dans le même ordre d'idée, mais avec de plus grandes inégalités, se situe *L'Enfance du Christ*. Une naïveté naturelle pleinement accordée au sujet donne à cette « trilogie sacrée » sa véritable couleur archaïque plutôt que l'emploi assez timide d'inflexions modales.

Dans la musique religieuse proprement dite, Berlioz, comme les musiciens de son temps après Cherubini, se relie étroitement au théâtre. La *Grand-Messe des Morts* n'est plus conçue « à la façon classique comme une suite de chants pieux, mais comme une évocation tragique de la détresse humaine, des affres de la mort et du jugement dernier » (P.-M. Masson). Le *Te Deum*, composé beaucoup moins en fonction du cadre qu'en vue des cérémonies de l'Exposition universelle de 1855, s'inspire de l'épopée napoléonienne et présente un caractère militaire encore plus accentué.

La filiation entre Berlioz et les musiciens de la Révolution apparaît, en dehors du style, à travers le recours à d'énormes masses vocales et instrumentales.

Dans la mélodie enfin, Berlioz prouve dès son premier recueil l'incompatibilité de son tempérament dramatique avec la romance strophique à laquelle il s'essaiera sans succès. Dans *Les Nuits d'Eté* il rompt ouvertement avec elle ; sans être à la hauteur de son génie, ces grands poèmes vocaux affichent une ampleur d'expression et de développement aussi insolites que leurs enchaînements harmoniques. C'est là peut-être que Berlioz pousse plus loin que jamais ses recherches dans cet élément. En toute conscience, d'ailleurs, il aura posé, un peu avant Gounod, les assises de la mélodie française.

Des opéras de Berlioz on a pu dire que la musique l'emportait sur le drame et le style sur la sensation. Leur insuccès auprès des admirateurs de Meyerbeer ne nous surprendra guère. Et comme cette remarque s'appliquerait aussi bien à l'œuvre tout entière de Berlioz, on ne s'étonnera pas davantage du succès de curiosité passagère rencontré auprès du public des concerts.

Jamais destin n'aura été plus étrange que celui de ce génie bien de son temps et placé en porte-à-faux vis-à-vis de ses compatriotes. Cette situation a accentué en lui les vertus et les travers du romantisme musical dont il était en France, en tant que compositeur, critique et chef d'orchestre, le seul et unique porte-étendard.

Cela expliquerait encore que Berlioz, moins d'un siècle après sa mort, soit l'objet d'autant de louanges que de controverses et suscite des jugements ironiques même chez ses admirateurs les plus clairvoyants.

Au reste, sa personnalité demeure des plus déroutantes : il reconnaît parmi ses ancêtres naturels Gluck, Weber, Beethoven et... Spontini ! et il se sent tout aussi proche des compositeurs d'opéras-comiques. Romantique s'il en fut, Berlioz aspirera au terme de sa carrière à une sorte de classicisme renouvelé. Critique et mémorialiste, prosateur étincelant, plein d'idées neuves et de bon sens, Berlioz se livre aussi à d'étranges incartades.

Il n'aurait pu obtenir le Prix de Rome sans avoir acquis le bagage nécessaire, celui-ci dût-il aujourd'hui nous sembler restreint. Mais Berlioz compositeur affichera un dédain superbe et bien romantique du « goût » et du « métier ». Paul Dukas a pu écrire que le « grand tort de Berlioz, son seul tort peut-être, était d'avoir paru croire que son génie l'autorisait à se passer de talent ». D'autres admirateurs aussi convaincus ont formulé de semblables réserves. Si l'on examine tour à tour la conception, la réalisation et le résultat final, il est possible de déterminer honnêtement les qualités et les lacunes de son art. Il est difficile de nier la surprenante originalité de l'harmonie quelles qu'en soient les prétendues gaucheries.

Ici Berlioz se montre comme un véritable romantique qui substitue l'inquiétude à la placidité : la mélodie d'une allure régulière, quasi italienne au départ, s'engage très vite dans des tons éloignés. Le solo de basse de la *Cantate du 5 Mai* en fournit un excellent exemple. Le chromatisme fait irruption, des septièmes diminuées se succèdent parallèlement... voilà qui dénote une sensibilité harmonique personnelle et bien rare pour l'époque. Les premiers accords de la mélodie *Au Cimetière* nous transportent déjà dans un climat voisin de César Franck. En ce sens, Berlioz élargit singulièrement

les formes classiques dont il renouvelle la substance
et le vocabulaire.

L'admiration se portera plus facilement et plus
unanimement sur l'orchestration. Cette notion
toute nouvelle se substitue à celle d'instrumentation : on la définirait par un emploi génial des
possibilités de chaque instrument, les associations
les plus hardies, les plus ingénieuses, les plus inattendues de groupes et de timbres les plus opposés.
Rien n'est plus malaisé à « réduire » qu'une partition
de Berlioz tant les idées et les harmonies sont nées
pour s'exprimer par le seul truchement des timbres.

Le *Traité d'Instrumentation* représente la première somme de cet art absolument neuf. Schumann, frappé par le génie de Berlioz, mais dérouté
par son style, vante la merveilleuse orchestration
de la *Fantastique*. Le bon bourgeois provincial qui
demeure chez Mendelssohn est encore plus choqué
par les manières de Berlioz ; mais la lecture de ses
partitions d'orchestre stupéfie littéralement ce
grand expert dans l'alchimie des timbres. « Berlioz
nous a tout appris » confessera Rimsky-Korsakoff
dans la préface de sa réédition du *Traité*.

Avant Richard Strauss qui le rééditera à son tour,
Liszt, Wagner ou Brahms auraient pu faire le même
aveu. Certes, peu de Français du vivant de Berlioz
auront fait preuve d'une semblable clairvoyance.
Mais un critique anonyme (1) aura laissé échapper
cette phrase révélatrice : « Berlioz nous fait tous
symphonistes, nous qui ne l'avions jamais été »,
montrant ainsi dans quelle voie la musique française,
délivrée du despotisme de la scène, devra désormais
s'engager.

(1) Cité par Jacques BARZUN dans *Nouvelles Lettres de Berlioz*
(New York, 1954).

En dehors de Berlioz, Félicien David (1810-1876) apparaît comme le seul musicien français véritablement romantique. Ses opéras *(Lalla-Roukh)*, odes-symphonies *(Le Désert)* et *Mélodies Orientales* (1840), en dépit de leur facture sommaire, introduisent un exotisme qui fera fortune jusqu'à la fin du siècle. Ses chœurs d'hommes *a capella (Chœur de Chasseurs, Ronde des Vendanges, Cris populaires de la Provence)* sont peut-être les seuls qui méritent d'être retenus dans cette littérature masculine désuète enfantée par le mouvement orphéonique. Celui-ci groupait à l'origine des chorales avant de rassembler des harmonies et des fanfares. A sa fondation sont liés les noms de Wilhem, élève de Gossec et de Laurent de Rillé.

Giacomo Meyerbeer (1791-1864) appartient autant à l'Allemagne, son pays natal où il reçut toute sa formation et exerça les fonctions de compositeur de la cour de Hesse et de *Generalmusikdirector* à Berlin ( 1842), qu'à l'Italie et à la France où il remporta au théâtre ses plus grands succès. *Robert le Diable* (1831), *Les Huguenots* (1836), *Le Prophète* (1849), *Le Pardon de Ploërmel* (1859), *L'Africaine* (1865, posth.) sont les types les plus parfaits du mélodrame historico-romantique. Une invention mélodique et orchestrale indéniable et dont les contemporains de Meyerbeer ont su tirer un meilleur parti, ne rachète guère la prétention et la boursouflure de l'expression générale.

Fromenthal Halévy (1791-1862) a beaucoup sacrifié à l'italianisme avec *La Juive* (1835), *La Reine de Chypre* (1841), *Le Val d'Andorre* (1848). A l'opéra historique appartiennent encore *Marie Stuart* (1844), *La Fronde* (1853), de Niedermeyer.

D.E.F. Auber (1791-1871) avait débuté avant 1830 avec *La Muette de Portici* dont le duo « Amour sacré de la Patrie » devint le chant de ralliement des Bruxellois partis à la conquête de leur indépendance. On a attribué à Auber la composition de *La Parisienne*, l'hymne des trois glorieuses. Ce musicien médiocre succéda pendant près de trente ans à Cherubini à la tête du Conservatoire de Paris. Il produisit plus de cent ouvrages dans un genre bâtard presque toujours à michemin de l'opéra et de l'opéra-comique. Auber s'est rarement écarté de cette banalité indigente (scène finale de *Manon Lescaut*, 1856) dont il aura par trop flatté le penchant du public de son temps (*Fra Diavolo*, 1830 ; *Le Cheval de Bronze*, 1835 ; *Le Domino noir*, 1837 ; *Les Diamants de la Couronne*, 1841).

Adolphe Adam (1803-1856), qui ne visait qu'à faire une musique « claire, facile à comprendre et agréable pour le public », bâcla d'innombrables partitions insipides dans un goût et un style plus proche cette fois de l'opérette (*Le Chalet*, 1834 ; *Le Postillon de Longjumeau*, 1836 ; *Si j'étais Roi*, 1852). L'auteur du regrettable Noël *Minuit, Chrétiens* et d'une *Marche funèbre* pour le retour des cendres de Napoléon (1840) était paradoxalement cultivé. Dans ses écrits il fut un des rares à vanter le génie de Rameau et il encouragea et soutint, plus qu'aucun de ses contemporains, les efforts du Prince de la Moskowa. De tous les ballets romantiques *Giselle* (1841) a reparu à l'affiche, moins à cause de sa musique d'une indigence extrême que de son livret d'une certaine poésie. Le ballet qui n'était encore sous l'Empire et la Restauration qu'un « divertissement de danse accolé à un sujet quelconque de mythologie scolaire » (A. Levinson) se transforme dans le choix des sujets et la présentation scénique. Théophile Gautier, librettiste et critique, jouera un rôle aussi important que celui des danseuses Taglioni et Fanny Elssler. Le ballet romantique se maintiendra en Russie où le maître de ballet Marius Petipa (1819-1910) fera carrière. En France, il cédera rapidement la place au « ballet d'action » plus proche du théâtre lyrique. *La Jolie Fille de Gand* (1842) d'Adam et surtout *La Source* (1860) de Delibes et Minkus ouvriront la voie, soit au ballet-comédie, soit à la pantomime symphonique.

## III. — Le renouveau de l'opéra

1. **Charles Gounod (1818-1893).** — Elève d'Halévy et de Ferdinand Paër, Gounod, avant d'aborder la scène, prouva de bonne heure un sens mélodique et harmonique remarquable qui lui permit de régénérer efficacement la romance. Avec *Venise* (1842), *O ma belle rebelle, Le Soir, Aubade, La Pensée des Morts, L'Ame d'un Ange*, Gounod peut être tenu pour un précurseur de Fauré, mieux encore pour le « véritable instaurateur de la mélodie française qui a retrouvé une sensualité harmonique et vocale perdue depuis le milieu du XVII⁰ siècle » (Ravel). A ces qualités s'ajoutera un sens très sûr et aussi retrouvé de la prosodie. Les opéras romantiques français étaient tellement pensés en opéras italiens que, selon une remarque pertinente de Saint-

Saëns, le célèbre duo « Amour sacré de la Patrie » de *La Muette de Portici* se chanterait plus naturellement sur « Amore sacrato della Patria ». Gounod aura été l'un des premiers à rétablir une déclamation faisant corps avec la langue française dès ses premiers ouvrages *Sapho* (1850), *La Nonne sanglante* (1852). *Le Médecin malgré lui* (1858) et *La Colombe* (1866) révèlent des dons comiques insoupçonnés. Les airs et chœurs pour *Ulysse* de Ponsard (1852) constituent la première musique de scène française écrite à l'image du *Songe d'une Nuit d'Eté* de Mendelssohn.

*Faust* (1859) ouvre une brèche sérieuse dans l'italianisme, malgré la survivance de défilés meyerbeeriens, d'airs à vocalises et de formules d'accompagnement faciles et stéréotypées. La Chanson du Roi de Thulé. la Sérénade de Méphisto, la Scène du Jardin sont empreintes d'un charme bien personnel. Un authentique sentiment dramatique anime la scène à l'église. Ces qualités se retrouveront dans les meilleures pages de *Mireille* (1864) et de *Roméo et Juliette* (1867).

Mais, en général, Gounod exprimerait plutôt les sentiments des spectateurs que ceux des personnages ; d'où son succès permanent auprès d'un public peu sensible à la vérité dramatique ; d'où les critiques sévères de Verdi sur les caractères trop ébauchés. On reprocherait facilement à Gounod de s'être attaqué avec témérité à Shakespeare ou à Gœthe (1).

Gounod avoua lui-même qu'il manquait de caractère. Il connut toutes les facilités d'une carrière officielle ; il ne sut se garder de certaines indulgences. Méfiant à l'excès vis-à-vis de Wagner, qu'il sut

---

(1) Que dire alors d'Ambroise THOMAS (1811-1896) auteur de *Mignon* (1866) et d'*Hamlet* (1867) !

pourtant comprendre et admirer, Gounod s'est moins renouvelé que répété, sans grand succès d'ailleurs, avec *Polyeucte*, *Cinq-Mars* (1878) et *Le Tribut de Zamora* (1881). Ses messes *(Messe de Sainte-Cécile)*, son *Requiem* et ses oratorios *(Tobie, Mors et Vita)* n'ont guère survécu ; ils se différencient peu des opéras malgré leur écriture révélant une connaissance alors peu répandue, bien qu'un peu superficielle, de Palestrina et de Bach.

2. **Contemporains de Gounod.** — Gounod, après avoir détrôné par ses succès Meyerbeer, suscita une saine émulation. Deux de ses cadets, Bizet et Lalo, iront déjà plus loin avant 1870 dans la voie qu'il vient de tracer.

Bizet se rattache à Gounod autant qu'à Félicien David dans *Les Pêcheurs de Perles* (1863) qu'il désavouera en termes véhéments et qu'on a cru bon cependant de remettre au répertoire. De multiples projets avortés *(Ivan le Terrible)* dénotent une ascendance plus tyrannique encore de Verdi. Bizet s'en dégage au moment même où — fait curieux — le maître italien accuse avec *Don Carlos* (livret original français, 1867) un progrès certain. *La Jolie Fille de Perth* (1867) renferme des airs et des scènes plus personnels, hauts en couleur, riches en mouvement (air de l'ivresse, scènes bohémiennes) et encore quelques italianismes. Aux reproches du critique Johannès Weber sur ces dernières complaisances, Bizet répond : « J'ai fait cette fois encore des concessions, je le regrette, je l'avoue... », et il ajoute, montrant fièrement l'avenir : « L'Ecole des flonflons, des roulades, du mensonge est morte, bien morte, enterrons-la sans larmes, sans regrets, sans émotion... »

*Fiesque* (1869) de Lalo est sans doute l'opéra le plus remarquable de cette époque ; le moins

remarqué aussi, parce qu'il ne fut jamais représenté, qu'il ne bénéficia que d'une édition limitée
et que ses meilleurs fragments furent repris dans
l'opéra posthume *La Jacquerie* et dans la pantomime *Néron*, lesquels ne connurent guère un meilleur sort. *Fiesque* l'emporte de loin sur *La Jolie
Fille de Perth* par une personnalité plus affirmée
et un refus très net de toute concession.

## IV. — La création de l'opérette

Au milieu du XIX$^e$ siècle, la distinction entre
l'opéra et l'opéra-comique s'était pratiquement
effacée. Auquel de ces genres rattacher plus particulièrement *Le Pré-aux-Clercs* ou *Zampa* sous-
titrés opéras-comiques ? Peut-être serons-nous plus
près du genre originel avec *Les Jumeaux de La Réole*
et *Le Roi de Sicile* de Casimir Gide (1804-1868),
*Yvonne* et *Le Cent-Suisse* du Prince de la Moskowa,
*Le Voyage en Chine* de François Bazin (1816-1878),
*La Nuit de Noël* d'Henri Reber ou les ouvrages
déjà cités d'Adolphe Adam ?

Avant que Gounod et Berlioz ne ressuscitent occasionnel-
lement l'ancien opéra-comique, Victor Massé (1822-1884)
avec *Les Noces de Jeannette* (1853) ou Louis-Aimé Maillart
(1817-1871) avec *Les Dragons de Villars* (1856) avaient essayé
de redonner au genre léger plus de bonhomie et de naturel.

Offenbach devait dépasser ces tentatives modestes
et remplacer à jamais, selon ses propres termes,
les « petits opéras » par des ouvrages pleins de cette
gaieté d'autrefois qui depuis longtemps faisait
cruellement défaut. Sans doute, il atteignit à une
truculence que ni Philidor, ni Monsigny — dont il
se réclamait ! — n'eussent jamais conçue ! Aussi
la plupart de ses opérettes portent-elles le titre plus
approprié d'opéras-bouffes. L'histoire de sa vie
se confond avec celle de l'opérette.

1. **Jacques Offenbach (1819-1880).** — Né à
Cologne, il acheva ses études au Conservatoire
sous la direction de Cherubini. Il se produisit
d'abord comme chef d'orchestre et comme violoncelliste, se livrant à des facéties qui laissaient
entrevoir, autant que les premières mélodies sur
des fables de La Fontaine (1842), un véritable
génie comique.

Lorsqu'il débute au théâtre, il est impossible,
conformément à un décret napoléonien toujours
en vigueur, de faire représenter à l'Opéra-Comique
des ouvrages de plus d'un acte employant plus de
trois acteurs. En outre, les directeurs doivent se
limiter à un genre déterminé. Offenbach inaugure
une salle (Les Bouffes-Parisiens) dont il assume la
direction. Il y fait jouer des pièces en un acte dont
il est ou non l'auteur. En 1855, il institue un concours
d'opérette où Bizet et Lecocq sont couronnés
*ex-aequo (Le Docteur Miracle)*. Le succès de l'opérette devient tel qu'on peut désormais passer outre
à toute limitation et donner à la musique un complé-
ment visuel du plus grand effet par le luxe et les
déploiements somptueux de mise en scène. Sur les
quelque cent dix ouvrages d'Offenbach, plus de
quatre-vingts furent représentés entre 1839 et
1869 dont *Orphée aux Enfers* (1858), *Monsieur
Choufleuri* (1861), *La Belle Hélène* (1864), *La Vie
Parisienne* (1866), *Barbe-Bleue* (1867), *La Grande-
Duchesse de Gérolstein*, *La Périchole* (1868), *Les
Brigands* (1869)...

L'opérette est à sa manière antiromantique et
anti-italienne ; le *bel canto* y est tourné en dérision,
le satanisme en ridicule ; les sujets mythologiques
ou classiques sont prétextes à d'irrévérencieuses
parodies farcies d'allusions à l'actualité. Offenbach,
secondé par Meilhac et Halévy, librettistes pleins

de verve et d'ingéniosité, se livre à des effets proso-
diques originaux et à des gags amusants mais
souvent bon marché. Les couplets, duos, ensembles et airs de danses sont d'un entrain endiablé ;
l'orchestre et le bon goût sont sacrifiés au mouvement d'ensemble. Voilà qui fait les délices d'une
société gouvernée par une impératrice qui déteste
la « grande musique » et dont l'élite, voire les minis-
tres, n'a pour délassement intellectuel supérieur
que la solution de charades ou la rédaction de
calembours !

On conçoit fort bien que l'opérette ait été jugée
sévèrement. Vincent d'Indy la traita de « champi-
gnon éclos sur la pourriture ». Pour frivole en effet
qu'elle soit, il serait cependant injuste de mécon-
naître la bouffée d'air pur apportée par Offenbach
après Adam et Meyerbeer et dont Bizet et Chabrier
ont si justement profité. Offenbach, au faîte de sa
gloire, effectua des tournées triomphales jusqu'en
Amérique. Suivant ses propres conseils, Johann
Strauss aborda l'opérette et Smetana se piqua de
lui « damer le pion » en composant sa *Fiancée
vendue*.

**2. Emules et successeurs d'Offenbach.** — Flo-
rimond Ronger dit Hervé (1822-1895) mena lui
aussi une carrière de compositeur (*L'Œil crevé*, 1867 ;
*Le Petit Faust*, 1869 ; *Mam'zelle Nitouche*, 1888),
de directeur de théâtre et de chef d'orchestre.
Acteur à l'occasion, il rédigeait lui-même ses livrets avec une fantaisie débridée annonciatrice
de Jarry, voire des surréalistes. Léo Delibes produisit jusqu'en 1870 toutes ses opérettes (*L'Omelette
à la Follembuche* ; *L'Ecossais de Chatou*) qui ont
déjà les qualités des opéras et des ballets.

Après l'effondrement du Second Empire, la tendance sera
plutôt au sérieux. Le discrédit qui frappera l'opérette poussera

Offenbach à se rapprocher de l'opéra-comique. Ses dernières partitions appelées parfois « opéras-féériques » accorderont toujours une part essentielle au spectacle, mais seront d'une facture plus affinée. *Pomme d'Api, Madame Favart* (1873), *Le Voyage dans la Lune* (1875), *La Fille du Tambour-Major* (1879) conduiront à l'opéra-fantastique *Les Contes d'Hoffmann* (1880) où, par un juste retour des choses, Offenbach, notamment dans les chœurs du premier acte, prendra leçon de Bizet.

Jusqu'aux débuts d'André Messager (*Isoline*, 1888), quelques compositeurs non dénués de talent ont également visé à plus de finesse dans l'opérette. Parmi leurs ouvrages qui ont survécu, citons *Les Mousquetaires au Couvent* (1877) de Louis Varney (1844-1908), *Le Grand Mogol* (1876), *La Mascotte* (1880), *La Cigale et la Fourmi* (1888) d'Edmond Audran (1842-1908), *Les Cent-Vierges, La Fille de Madame Angot* (1872), *Le Petit Duc* (1878) de Charles Lecocq (1832-1918), *Les Cloches de Corneville* (1877), *Rip* (1884) de Robert Planquette (1848-1903). Aucun d'eux ne surpassera Offenbach autant qu'Emmanuel Chabrier. Il n'en est pas moins vrai que ces œuvrettes sans prétention contiennent souvent plus de musique véritable que bien des opéras de la même époque.

# V. — En marge du théâtre

Les deux courants dramatique et intimiste amorcés dans la mélodie par Gounod et Berlioz tendent à s'équilibrer sous l'influence de la musique de chambre. Bizet prolonge seulement Félicien David et Gounod (*Berceuse, Chanson du Fou, Adieux de l'Hôtesse Arabe*), mais Fauré dépasse celui-ci dès ses premières mélodies (premier recueil vers 1865). Il renonce à la coupe strophique, aux modulations et aux inflexions par trop attendues (*Sérénade Toscane, Chanson du Pêcheur, Lydia, Au bord de l'eau*). Les *Six Poèmes d'Hugo* (1855) de Lalo apportent du nouveau dans le rythme (*Guitare, Dieu qui sourit et qui donne*), *La Ballade à la Lune* (1860) préfigure Chabrier et Hugo Wolf. Saint-Saëns impose la ballade romantique (*Le Pas d'Arme du Roi Jean*, 1853) que Franck avait tenté le premier d'introduire (*Robin Gray*, 1842). *La Cloche* (1854) opère une sorte de trait d'union entre Berlioz et Duparc. Celui-ci est marqué au départ par Gounod (*Sérénade, Chanson Triste*, 1868) et Schubert *(Le Galop, La Fuite)*. Il dégage sa personnalité au contact de Schumann et de Berlioz (*Soupir* ; *Au pays où se fait la guerre*, 1868-1869). Par l'ampleur des proportions et la profondeur du sentiment, Duparc — dont il sera plus longuement question après 1870 — réalise le premier l'équilibre si longtemps recherché entre le piano et la voix.

Dans le domaine instrumental, c'est à l'orgue qu'on assiste déjà à une authentique renaissance. L'instrument avait perdu son caractère sacré longtemps avant la Révolution. Après s'être incorporé à la masse des instruments à vent au cours des Fêtes Nationales, il fut délaissé sous l'Empire, bien que Nicolas Séjean (1745-1819), Guillaume Lasceux (1740-1830) ou Jacques-Marie Beauvarlet-Charpentier (1766-1834) aient écrit quelques fugues à son intention. Mais ce répertoire ne tarda pas à être remplacé par celui des « tempêtes » et des « pastorales ». Ces pièces imitatives, d'une incroyable puérilité, méconnaissaient les possibilités réelles de l'instrument ; elles offraient peu de rapport avec les cérémonies liturgiques ou plus simplement avec le cadre sacré. Ces sornettes firent pourtant les succès d'improvisateurs d'un Edouard Batiste (1820-1876) ou d'un James-Alfred Lefébure-Wély (1806-1871). Seul Alexandre Boëly échappa à cette mode fâcheuse. Fils d'un maître de chapelle de Versailles, il était nourri de Bach et des classiques français, qu'il s'efforça de faire connaître et de réimposer tant par l'édition que par l'exécution. Et cela, malgré une hostilité si vive qu'il fut congédié en 1851 de sa tribune de Saint-Germain-l'Auxer-

rois. Ce premier apôtre, par son savoir et sa pro-
bité, exerça comme Reber une impression heureuse
sur Saint-Saëns, même si la plupart de ses pièces
de piano ou d'orgue se ressentent, autant que sa
musique de chambre, d'une imitation par trop
évidente des maîtres admirés.

L'orgue, dont la composition ne convenait plus
depuis longtemps au nouveau mode d'expression,
subit en 1841, grâce au facteur Aristide Cavaillé-
Coll, une transformation radicale. Il acquit une
puissance d'effets comparable à celle d'un orchestre.
Ce qui compensa les finesses de l'orgue classique
désormais délaissé. Cette véritable révolution dans
la facture allait engendrer la nouvelle esthétique
moins liturgique que profane de la symphonie.
Avec plus d'originalité que Saint-Saëns dans ses
*Fantaisies* et *Rapsodies bretonnes* ou qu'Alexis
Chauvet (1837-1871) dans ses pièces de même
style, César Franck sera le véritable promoteur
d'une littérature originale destinée au nouvel instrument. Ses *Six Pièces* (1862) comptent déjà des
chefs-d'œuvre. Elles sonnent la résurrection du
répertoire de l'orgue. Chez Liszt elles appelèrent
même la comparaison avec Bach. La *Prière*, *Prélude*, *Fugue et Variation* innovent moins par le
choix que par l'agrandissement des cadres ; elles
ont en commun une allure de confession personnelle
qui justifie, plus encore que leur écriture proprement dite, la dénomination de musique d'orgue
« romantique ».

# Chapitre IV

## LE LEVER DU JOUR (1871-1890)

Le désastre de 1870 a des répercussions particulières dans la conscience des musiciens : pour eux l'Allemagne n'est pas seulement le pays qui vient de prouver sa supériorité militaire mais aussi celui dont les compositeurs ont fait preuve depuis un siècle d'une éclatante suprématie. Désormais, le Second Empire avec ses prétentions et ses mollesses est révolu et abhorré : un mouvement se dessine pour la remise à l'honneur des formes sérieuses vocales et instrumentales. Les associations de concerts symphoniques (Colonne, Lamoureux, 1873) et de musique de chambre (Société des Instruments à Vent, 1879) se multiplient ; elles révèlent les chefs-d'œuvre longtemps ignorés et dédaignés, des classiques et romantiques d'outre-Rhin. Berlioz est réhabilité avec éclat moins de dix ans après sa mort. Wagner s'imposera après un long combat et Brahms est même accueilli avec faveur, du moins jusqu'aux dernières années du siècle. Le goût du public s'améliore ; le concert acquiert une importance égale, voire supérieure à celle du théâtre. Il est assez instructif de voir, par exemple, Gounod s'intéresser à la fin de sa vie aux instruments qu'il avait jusqu'à présent négligés (*Petite Symphonie pour vents*).

De même, on assiste chez d'autres compositeurs

à un effort de relèvement ou à une éclosion brillante et tardive. L'enseignement du Conservatoire subit les premières réformes nécessitées par la nouvelle situation.

Le besoin clairement ressenti d'opérer un redressement à partir d'un passé à prédominance étrangère va enfanter tout naturellement deux courants qui s'opposeront avant de chercher à s'unir. César Franck et ses disciples, héritiers directs des romantiques d'outre-Rhin, s'expriment à travers des architectures complexes, dans un langage harmonique raffiné. Par contre, Lalo et Saint-Saëns s'efforcent, consciemment ou non, de renouer avec une tradition nationale à travers Berlioz et les romantiques ou classiques les plus marqués par un esprit latin. Leur apport sera plus formel, leur influence plus didactique quant à la maîtrise de l'orchestration et la clarté supérieure des plans et du discours.

Ces deux tendances se côtoient et s'affrontent au sein de la Société Nationale de Musique, créée en 1871 par Saint-Saëns (1) et le professeur Romain Bussine. La devise « Ars Gallica » indique clairement les buts de cette nouvelle association de concerts : faire connaître les jeunes musiciens français sans distinction de style ou d'idéal.

Une fois assimilé le message des romantiques — avec un peu de retard, il est vrai ! — ,l'attention

---

(1) En 1886, la Société Nationale de Musique admit à ses programmes des œuvres anciennes ou étrangères. Saint-Saëns démissionna de la présidence. César Franck lui succéda ; à sa mort, Vincent d'Indy assuma à son tour ces fonctions et créa une sorte de succursale à Bruxelles où furent créées de nouvelles œuvres dont celles de Debussy. La direction fit perdre toutefois à cette nouvelle association son caractère d'avant-garde. Une Société de Musique Indépendante fut alors créée en 1909 et fonctionna jusqu'au lendemain de la guerre de 1914-1918. Elle fut à son tour combattue par la jeune génération pour être devenue aussi hostile aux courants nouveaux.

se porte vers de nouveaux horizons. Mais la révélation de Grieg et surtout des Russes au cours des Expositions Universelles de 1878 et de 1889 ne se répercutera que beaucoup plus tard.

L'Allemagne et la Russie s'effacent... Avant de s'être débarrassée des chaînes hétérogènes qui la retiennent encore, avant d'avoir reconquis une originalité foncière, la musique française *en tant qu'école* peut raisonnablement revendiquer de nouveau droit de cité.

## I. — Vers une prédominance de l'art instrumental

C'est à l'orchestre, à la musique de chambre, au piano que la plupart des musiciens destinent leurs meilleures pages, ayant moins à lutter ici contre le souvenir et le poids d'antécédents fâcheux. Au théâtre, c'est dans le ballet ou la musique de scène de caractère symphonique qu'ils font preuve d'une plus grande originalité. L'intérêt supérieur des pièces de théâtre, empruntées au répertoire classique ou moderne, leur permet de s'évader plus vite des conventions encombrantes du grand opéra. Les conditions matérielles, peu favorables au maniement d'un orchestre symphonique, les obligent à faire appel à un ensemble réduit. La musique de scène devient alors un champ d'expérimentation pour le retour à l'orchestre de chambre ; autant d'éléments, autant de conditions qui permettront à Bizet ou au jeune Fauré d'aborder la scène avant de se consacrer au théâtre lyrique proprement dit, de se renouveler au contact de sujets originaux, de traiter les voix et les instruments de façon inédite et heureuse. On est loin du temps où l'on supprimait purement et simplement les ouvertures pour « éviter aux spectateurs l'insupportable ennui d'un morceau symphonique » !

Dans la symphonie même, les Français ont attendu, semble-t-il, avant de se mesurer à Beethoven ou à ses successeurs. En dehors d'une estimable symphonie de jeunesse de Messager (1876), on ne dénombre jusque vers 1885 que des rapsodies, suites et ouvertures de concert ou des poèmes symphoniques inspirés de Liszt et de Berlioz.

La musique de chambre cesse d'être conçue seulement pour des exécutions intimes. Sans doute, les sonates, trios, quatuors, quintettes... ne suffisent-ils plus à alimenter le répertoire des virtuoses qui se produisent de plus en plus nombreux au concert. D'où l'éclosion de maintes pièces avec piano ou orchestre, brillantes ou graves, toujours aptes à mettre en valeur les qualités de l'exécutant, mais où les préoccupations expressives passent de plus en plus au premier plan. D'où, pour les mêmes raisons, l'adoption d'un genre moins extérieur que le concerto, encore tenu dans une certaine suspicion parce qu'auparavant — en France s'entend — seulement sujet à de vaines exhibitions. Le thème varié est encore l'objet d'une méfiance analogue, même s'il subit déjà un certain relèvement (*Thème varié* de Camille Chevillard, 1888 (1)). Depuis l'apparition du pianoforte au Concert Spirituel, soit pendant près d'un siècle, la pratique et l'illustration du piano avait été l'apanage des étrangers ; la plupart des pièces se rattacheront encore jusque par leurs titres aux classiques et aux romantiques, voire à Bach. Mais une esthétique et une terminologie nouvelles apparaissent dont il faut peut-être attribuer l'origine à la redécouverte de Watteau et du XVIIIᵉ siècle en général. Retour inavoué sans doute, mais retour tout de même, sinon aux anciens maîtres français dont la résurrection est proche, du moins à l'esprit et au goût de leur temps.

## II. — Transformations de l'art vocal

Un même effort libérateur est tenté dans chaque branche, mais les résultats diffèrent suivant que les tâtonnements, les erreurs, les incompréhensions, les redites sont plus ou moins nombreuses, plus ou moins persistantes. On assiste moins, sauf dans la mélodie, à l'élaboration d'un art nouveau qu'à une régénération passagère de formes consacrées.

Au théâtre, l'opérette, tenue dans un discrédit croissant, ne se maintiendra plus qu'auprès d'un certain public. Elle gagne en finesse ce qu'elle perd en truculence ; elle se rapproche plus ou moins de l'ancien opéra-comique qui connaîtra avec *Carmen* une éclatante et ultime renaissance. Dans le drame lyrique, Wagner suscite diverses réactions ; d'abord admiré par quelques initiés, il s'introduit au prix de véritables batailles, grâce à des fragments symphoniques exécutés aux concerts dominicaux. Il n'entrera définitivement au répertoire de l'Opéra qu'en 1888. Le « géant de Bayreuth » produit une

---

(1) Camille Chevillard (1859-1923) s'est surtout illustré comme chef d'orchestre à la tête de la remarquable phalange de son beau-père Charles Lamoureux.

forte impression ; mais nul n'en saisit la pensée originale ;
aussi n'ouvre-t-il pas encore une voie réellement nouvelle
au drame lyrique français. *Sigurd* (1884) et *Salammbô* (1891)
d'Ernest Reyer (1823-1909) ne s'apparentent à Wagner que
par leurs sujets. Ni les derniers opéras de Gounod, de Victor
Massé (*Paul et Virginie*, 1876), ou de Saint-Saëns (*Etienne
Marcel*, 1879 ; *Henri VIII*, 1883 ; *Ascanio*, 1890 ; *Les Bar-
bares*, 1901), pas plus que *Patrie* (1886) d'Emile Paladilhe
(1844-1926) ne renferment la moindre innovation d'origine
wagnérienne, malgré l'admiration de leurs auteurs pour le
maître allemand. La réforme wagnérienne est retenue du seul
point de vue structurel par Delibes ou Massenet qui, par ailleurs, continuent de suivre la voie ouverte par Gounod. Il
n'y aura tout au plus qu'une parenté de style occasionnelle
avec les premiers ouvrages — *Tannhàuser, le Vaisseau Fan-
tôme* — comme ce sera plus particulièrement le cas du *Roi
d'Ys* de Lalo. Seuls, en définitive, Fauré et les disciples de
Franck auront réellement compris, avant Debussy, ce que leur
apportaient les grands drames de Wagner.

Le répertoire sacré avait déjà tenté de se relever avant 1870,
sans se défaire pour autant de son côté fâcheusement théâtral.
L'emprise de la scène va céder la place à celle, guère plus
heureuse, du salon. Mais la transformation la plus intéressante
dans l'art vocal et qui mènera, elle, à la naissance de véritables
chefs-d'œuvre, se produit dans la mélodie. Celle-ci abandonne
peu à peu ses attaches avec la romance : son lyrisme superfi-
ciel, sa forme strophique indifféremment adaptée à n'importe
quel texte ; on n'aura désormais recours à cette dernière que
dans certains cas bien définis et on lui préférera des constructions savantes, permettant de traduire et de souligner avec
davantage de nuances et d'exactitude le sens intime et les
contours littéraires du poème. L'accompagnement, jusqu'alors
secondaire, finira par égaler, dépasser même la voix, dialo-
guant et concertant avec elle, comme dans le lied germanique
ou la mélodie russe à leur apogée. C'est toutefois sous l'influence
de Schumann et non de Moussorgsky — qui ne commencera
à être connu en France que vers 1890 — que la mélodie française, de genre *sérieux* qu'elle était déjà vers 1865-1870, va
devenir un genre *profond*, capable d'émouvoir, de traduire
les pensées les plus nobles, les plus pathétiques, les plus
secrètes dans une langue toujours plus raffinée. Par le choix
de ses thèmes littéraires et les antécédents dont elle s'imprègne,
elle apparaît comme un prolongement du lied d'Outre-Rhin.
Mais une modification s'opère dans les années 1885-1890 par
l'adoption d'un vocabulaire correspondant plus ou moins

à celui des poètes parnassiens ou symbolistes auxquels les musiciens se réfèrent et par l'introduction de l'humour qui marque une rupture plus évidente encore avec les valeurs romantiques.

Ce phénomène n'est isolé qu'en apparence. La musique, d'une façon plus générale, est à la veille d'un tournant. Chez César Franck et ses élèves, que le génie n'a pas dédaignés, ou chez d'honnêtes artisans du relèvement comme Lalo ou Saint-Saëns, résonnaient les derniers échos d'un post-romantisme ou d'un néo-classicisme sans issue. La rencontre avec les poètes symbolistes, les peintres impressionnistes, voire la littérature naturaliste, sera à l'origine d'un renouveau dont Bizet et Chabrier font figure de véritables prophètes.

## III. — Les post-romantiques

1. **César Franck (1822-1890).** — Né à Liège, il se fixe dès 1835 à Paris où il achève ses études musicales au Conservatoire et sous la direction d'Antonin Reicha. De ce Français d'adoption (il se fera naturaliser en 1860) l'ascendance, la culture et la sensibilité sont et resteront à prédominance germanique. A ce génie tardivement éclos, il sera donné d'opérer un symbolique trait d'union. D'abord entre les côtés négatifs du romantisme français auxquels il appartient par ses premières compositions insignifiantes et sacrifiant au mauvais goût du jour, et le renouveau d'après 1870, dont il avait déjà contribué dans les années 1860 à hâter la venue (1). Ensuite, entre Chopin, Liszt, les romantiques allemands, auxquels il faut ajouter Bach redécouvert par leurs soins, et la nouvelle génération française à qui il aura réappris, par la parole et par l'exemple, que la musique est avant tout un art d'expression.

Après 1870, César Franck use d'un langage absolument neuf, résultat d'une véritable métamorphose : une mélodie aux altérations nombreuses,

(1) Cf. chap. IV, p. 46.

aux contours sinueux et faite de longues périodes
appelant une harmonie chromatique héritée de
Wagner et de Liszt. A ce dernier, il emprunte encore
le procédé cyclique consistant à répartir un même
thème dans les différents mouvements d'une sonate
et à conférer ainsi à l'ensemble une plus grande
unité. César Franck vise moins à l'épuration qu'à
la complication : il échafaude des architectures
complexes, étrangères aux canons consacrés ; il
applique la variation beethovenienne au choral,
bâtit ses *Variations Symphoniques* (1885) sur l'alter-
nance de deux thèmes variés, enchaîne dans *Prélude, Choral et Fugue* (1884) ou *Prélude, Aria et
Final* (1886-1887) trois morceaux n'appartenant
à aucune des trois formes proprement dites. C'est
tout naturellement dans la musique de chambre
ou dans la symphonie qu'il est le plus à son aise,
une fois délivré de l'assujettissement à un argument
littéraire précis. Les poèmes symphoniques (*Les
Eolides*, 1876 ; *Le Chasseur maudit*, 1882 ; *Psyché*,
1887-1888) n'ont ni la force d'accent, ni le brillant
orchestral de ceux de Liszt ou de Berlioz. *Nocturne*
(1885) et *La Procession* (1888) sont les mélodies
les plus dignes d'attention ; encore ne sauraient-
elles égaler les dernières pages de Duparc dont elles
sont postérieures. Certes les longueurs n'effacent
pas les beautés des *Béatitudes* (1869-1879) avec
lesquelles l'oratorio se détache enfin du théâtre.
Mais les quelques pages suaves et inspirées d'*Hulda*
et de *Ghiselle* (1890) n'ont guère « sauvé » ces deux
opéras qui se souviennent encore de Meyerbeer.
En dehors de *Prélude, Choral et Fugue* et de *Prélude, Aria et Final* déjà cités, c'est à travers le
*Quintette* (1879), la *Symphonie en ré mineur* (1885), la
*Sonate* pour violon et piano (1886) et le *Quatuor*
à cordes (1890), autant sinon davantage que dans

les *Trois Pièces* (1878) et les *Trois Chorals* (1890)
d'orgue, qu'on trouvera l'expression la plus achevée
d'un tempérament romantique, tempéré par le
mysticisme, d'une bonté d'âme allant jusqu'à la
candeur, capable de grandeur et débordant d'accents tragiques à peine entrecoupés de moments
de détente tels que la musique en France n'en
avait pas entendu depuis bien longtemps. Chez
César Franck l'ascension aura été longue, labo-
rieuse même et certains défauts qu'on a pu lui repro-
cher (lourdeur de l'orchestration, manque d'invention dans le rythme, déséquilibre de proportions,
répétitions de formule, incertitudes de goût) sont
compréhensibles et excusables chez un survivant
de l'ère meyerbeerienne. Par son romantisme mys-
tique, Franck aura marqué le terme d'un âge
esthétique. Mais ses conceptions sur l'harmonie
et la composition devaient faire école. La classe
d'orgue du Conservatoire, confiée à l'organiste de
Sainte-Clotilde après 1872, n'aura pas été seulement
une pépinière d'instrumentistes, mais le centre
d'un véritable apostolat en marge de l'enseignement
officiel. Le souvenir du « Père Franck » laissera des
traces jusque chez des musiciens ayant subi une
formation différente de celle qu'il dispensa ou qui,
au contraire, après avoir profité de ses leçons, se
sentiront attirés vers de nouveaux horizons.

2. **Les élèves de Franck.** — Le premier en date
fut Alexis de Castillon (1838-1873), un des ani-
mateurs de la Société Nationale de Musique. Le
*Psaume*, le *Concerto* de piano et les autres compositions vocales ou instrumentales contiennent surtout
des promesses. Arthur Coquard (1846-1910) ne
réussit guère mieux à la scène malgré un talent
supérieur.

Henri Duparc (1848-1933), en proie à des scru-

pules excessifs, n'a laissé qu'une douzaine de mélodies, auxquelles s'ajoutent un interlude *(Aux
Etoiles)* et un poème symphoniques *(Lénore)* de
moindre valeur. Après 1885, la maladie condamnera
au silence cet incomparable artiste. Dans ses poèmes
vocaux, les thèmes romantiques *(Lamento, Elégie)*
ou pré-symbolistes *(L'Invitation au voyage)* sont
traités avec un don de l'émotion et un raffinement
dans les modulations peu fréquents à l'époque.
Cette musique de rêve continue Schumann. Tantôt
la retenue dans l'expression y est extrême *(Extase)*,
tantôt un souffle dramatique hérité de Berlioz et
de Wagner *(Testament)* lui fait dépasser le cadre
intime. Par leurs dimensions, *La Vague et la Cloche*,
*Phydilé*, *La Vie antérieure* procèdent de la mélodie
et de l'ancienne cantate. L'accompagnement hésite
alors entre le piano et l'orchestre. Si la voix entre
Berlioz et Debussy a su trouver le chemin du cœur,
c'est à travers ces mélodies peu nombreuses mais
désormais classiques et qui, par leur substance et
leur tenue, s'égalent aux plus belles inspirations de
Schumann ou de Moussorgsky.

Promu lui aussi à une brillante destinée, Ernest
Chausson (1855-1899) disparut brutalement lorsque
s'achevaient les tâtonnements et les incertitudes.
Attiré par Franck, Wagner et le jeune Debussy,
il s'abandonne à des effusions post-romantiques d'un
pessimisme exacerbé ou fait montre, au contraire,
d'une luminosité et d'un équilibre qui le distin-
guent de son maître. La personnalité transpa-
raît surtout dans le lyrisme à travers le *Concert*
pour piano et cordes (1889), la *Symphonie en si
bémol* (1890), le *Poème* pour violon et orchestre
(1896). Les deux recueils de mélodies où abondent
des réussites *(Nanny, Le Colibri, Deux Duos,
Serres chaudes, Cantique à l'épouse, Hébé, Trois*

*Lieder )* autorisent à considérer Chausson comme un des émancipateurs de la forme.

Guillaume Lekeu (1870-1894), d'origine belge, est mort prématurément après avoir fait preuve dans une remarquable *Sonate* pour violon (1890) d'un tempérament quasi génial.

## IV. — Les néo-classiques

1. **Édouard Lalo (1823-1892).** — Après 1870, Lalo atteint à une maturation qui, pour être aussi tardive que celle de Franck, se laissait davantage deviner dans les premières mélodies et compositions de chambre (1). Celles-ci étaient passées inaperçues. Elève d'Habeneck, Lalo avait terminé ses études au Conservatoire sans « viser » le Prix de Rome. Quartettiste, il dédaignait le théâtre ; l'insuccès de *Fiesque* n'avait pas fait sortir de l'ombre cet artiste consciencieux, attiré avant tout par les instruments, mais non dépourvu de dons expressifs et dramatiques. Ceux-ci devaient encore se manifester dans le *Roi d'Ys* (1888), l'opéra le plus digne d'intérêt sans doute qui ait vu le jour du temps de *Carmen*, et les dernières mélodies *(Chant breton, Tristesse, A une Fleur)*, contribution non négligeable à l'agrandissement et à l'approfondissement du genre.

Mais, compte tenu des circonstances plus favorables, Lalo revient surtout à la musique instrumentale. Son *Troisième Trio* (1880) — dont le scherzo a joui d'une grande célébrité grâce à sa transcription symphonique — dépasse en valeur celui en *fa* de Saint-Saëns (2). Mais c'est surtout

---

(1) Cf. chap. III, pp. 29 et 44.
(2) La version définitive du *Quatuor* commencé en 1854 ne diffère que par le final (1888).

en direction de l'orchestre que Lalo concentre ses
efforts. Il y manie les timbres en coloriste habile,
crée, harmonise et combine des thèmes et des
rythmes inédits, le plus souvent inspirés de fol-
klores étrangers. Sa connaissance parfaite des cordes
qu'il doit à son expérience de quartettiste se révèle
plus spécialement dans la *Symphonie espagnole*
(1874) et les *Concerti* pour violon (1874-1883) et
pour violoncelle (1877) dont la popularité interna-
tionale s'est maintenue jusqu'à nos jours. Elle
a porté ombrage à des compositions moins brillantes, mais aussi moins superficielles, comme la
*Symphonie en sol mineur* (1888), à juste titre égalée
à celles de Franck et de Saint-Saëns dont elle est
contemporaine, le *Divertissement* (1873), la *Rapsodie
norvégienne* (1879). *Namouna* (1886) se place dans
le sillage de *Coppélia* de Delibes et marque, parallèlement aux *Deux Pigeons* de Messager, l'apogée
du ballet d'action. Lalo y use de toutes les ressources
de sa science et de son imagination. Une telle musicalité effraya les abonnés de l'Opéra-Comique qui
croyaient encore accabler de la pire injure un
compositeur de ballet en le traitant de « symphoniste ». Mais les musiciens, eux, ne s'y trompèrent
pas en applaudissant au chef-d'œuvre.

Une invention mélodique, rythmique et orchestrale plus personnelle et plus constante que chez
Saint-Saëns, et toujours au service d'une pensée
noble et discrète, compensent l'impersonnalité de
l'harmonie et une certaine facilité dans l'inspiration ; elles incitent à rapprocher Lalo de Mendelssohn.

   2. Camille Saint-Saëns (1835-1921). — Compositeur, pianiste, organiste, chef d'orchestre, orga-
nisateur de concerts, critique et pédagogue, Camille
Saint-Saëns, qu'attirent également la littérature,

la philosophie et l'astronomie, est un esprit cultivé,
curieux et même assez ouvert. Avant 1870, il
contribue à la remise à l'honneur des formes instrumentales ; il vante, contre l'indifférence ou l'hostilité générale, les mérites de Berlioz, de Boëly, de
Liszt, de Reber ou de Schumann. Dans *Harmonie
et Mélodie*, il pressent même l'évolution de la tonalité vers la modalité. Mais il reste fidèle pendant sa
longue et brillante carrière à une seule et même
esthétique, s'opposant à tous les courants qui se
succèdent de Wagner à Schöneberg. Il compose avec
une aisance prodigieuse, avec une habileté suprême
dans tous les domaines, fût-ce pour ne rien dire.
Pour Saint-Saëns « l'art, c'est la forme » ; sa réaction
contre l'italianisme et les excès romantiques aboutit
au formalisme académique ; son refus de tenir
compte de l'apport de ses contemporains ou de ses
cadets le conduit au pastiche ou au maintien coûte
que coûte de formes périmées. Son peu de sens
critique laisse à la postérité le soin de retenir dans
une production abondante, sinon prolixe, les pages
qui méritent de survivre ; elles appartiennent surtout à l'art instrumental et sont d'une importance
plutôt chronologique : la plupart, fait significatif,
se situent avant les années 1890. Dans la *Première
Sonate de Violoncelle* (1872), l'andante du *Septuor*
(1880), la scène de la meule de *Samson et Dalila*
(1877) ou la *Troisième Symphonie en ut mineur*
avec orgue (1888), il déploie exceptionnellement sa
maîtrise au service d'un romantisme tempéré et
tient compte cette fois, par quelques touches harmoniques discrètes, des innovations de Liszt et de
César Franck. Mais son antiromantisme général
apparaît le plus clairement dans ses poèmes symphoniques. Ceux-ci valent *d'abord* par leur forme
impeccable. Dans *Le Rouet d'Omphale* (1871),

*Phaëton* (1873), *La Danse macabre* (1874) et *La Jeunesse d'Hercule* (1877), la fidélité au programme passe *après* la soumission à des impératifs purement musicaux. On accordera une place à part au *Carnaval des Animaux* (1886), « grande fantaisie zoologique » où Saint-Saëns, en digne successeur du Méhul de l'*Ouverture burlesque*, emploie tour à tour en solistes ou ensemble, divers instruments, dont un harmonica, dans une suite de pièces descriptives, imitatives ou parodiques.

Saint-Saëns, tout hostile qu'il fût aux formes nouvelles, aura connu une gloire universelle, par sa renommée de virtuose et de compositeur, par son prestige de fondateur de la Société Nationale de Musique et de restituteur de Rameau. Il n'aura offert qu'un idéal formel à ses élèves (Fauré, Messager, Gigout...) ou à ses admirateurs (Paul Dukas, Maurice Ravel). Mais dans les dernières années du xixe siècle un tel exemple pouvait être bienfaisant. Saint-Saëns aura poussé, aidé même, à reconquérir les vertus classiques : rigueur, clarté, sobriété, discrétion, élégance.

3. **Contemporains de Lalo et de Saint-Saëns.** — Parmi les néo-classiques que leur académisme rapproche de Saint-Saëns, figure, dans ces vingt années où précisément Saint-Saëns délaisse l'orgue, une pléiade d'organistes. Si on les compare à César Franck, ils sont d'aussi admirables improvisateurs, mais ils renouvellent moins le langage que la technique de leur instrument. Sans doute, Charles-Marie Widor (1845-1937) affirme avec raison « ... qu'à l'instrument nouveau il faut une langue nouvelle, un autre idéal que celui de la polyphonie scholastique ». Cela n'empêchera pas l'organiste de Saint-Sulpice de pratiquer avec la même maîtrise académique — pour ne pas dire justement scholas-

tique ! — la fugue et la toccata, le menuet et la
pastorale dans ses symphonies essentiellement déco-
ratives et qui cherchent moins à servir qu'à orner
le culte. Moins liturgiques que profanes seront également les pièces d'Eugène Gigout (1843-1925),
les sonates d'Alexandre Guilmant (1848-1911),
la *Suite gothique* de Léon Boëlmann (1862-1897),
auteur d'une *Symphonie* et d'une *Sonate de violoncelle.*

A ces instrumentistes font pendant quelques
compositeurs de théâtre aussi imbus de traditio-
nalisme. Parmi eux, Jules Massenet (1842-1912)
occupe une place à part. Jusqu'au début du XX<sup>e</sup> siècle, il remporta une série de succès sans équivalents
(*Le Roi de Lahore*, 1876 ; *Hérodiade*, 1881 ; *Manon*,
1884 ; *Le Cid*, 1885 ; *Esclarmonde*, 1889 ; *Werther*,
1892 ; *Thaïs*, 1894 ; *Le Jongleur de Notre-Dame*,
1902 ; *Don Quichotte*, 1910), traitant les sujets les
plus divers avec cette même sensualité mélodique
et harmonique bien particulière et dont le charme
insidieux opérera jusque chez le jeune Debussy.
Avec ses « Poèmes » pour voix et piano *(Poème
d'Amour, Poème du Souvenir…)*, Massenet intro-
duisit le cycle et fut un des premiers à répandre
les procédés d'écriture de Schumann. Cet homme
de métier hésita à ses débuts entre la scène et le
concert où il aurait pu également réussir *(Scènes
alsaciennes, Scènes pittoresques, Les Erynnies).*
Il forma au Conservatoire des élèves de valeur
(Charpentier, Rabaud, Bruneau, Reynaldo Hahn,
Busser, Schmitt, Koechlin). Mais à force de relâ-
chements et de concessions, il accumula des ouvrages
dont la médiocrité frise l'amateurisme et dont la
sentimentalité doucereuse écœure.

Une même complaisance envers le goût le moins
élevé explique le succès également persistant

des ballets (*Sylvia, Coppélia*), opérettes, mélodies
(*Myrtho*), musiques de scènes (*Le Roi s'amuse*),
opéras-comiques de Léo Delibes (1836-1891) qui
fut également professeur de composition au Conservatoire. Cependant *Le Roi l'a dit* (1876) ou *Lakmé*
(1883), bien qu'entachés de trivialités, ne sont
dépourvus ni de personnalité, ni même de finesse.

Deux femmes-compositeurs de la même génération ont connu dans les salons un notable succès
dû surtout à leurs romances. Augusta Holmès
(1847-1903) était d'origine irlandaise ; elle écrivit
parfois sous le pseudonyme d'Hermann Zeuta.
Ses opéras et symphonies dramatiques ont connu
une vogue moindre que le *Noël* et d'autres mélodies
écrites dans un style assez proche de celui de Massenet, bien que leur auteur ait étudié la composition
avec César Franck. Cécile Chaminade (1857-1944),
élève de Benjamin Godard, aura connu une popularité semblable par son *Anneau d'argent*.

A ce courant académique appartiennent enfin
quelques musiciens dont les ouvrages sont tombés
dans un oubli justifié mais dont le rôle aura été
surtout celui de formateurs et théoriciens souvent
excellents.

Théodore Dubois (1837-1924) succéda à Ambroise
Thomas à la direction du Conservatoire. Ses *Traités
d'Harmonie* et de *Contrepoint* représentent la somme
d'un enseignement académique teinté d'éclectisme.
Ernest Guiraud (1837-1892), auteur d'un ballet
(*Gretna Green*) et d'un opéra (*Frédégonde*), eut
pour élèves Debussy et Paul Dukas. Charles
Lenepveu (1840-1910) enseigna également la composition cependant que Benjamin Godard (1849-1895)
fut titulaire de la classe de musique d'ensemble.
Ses symphonies (*Le Tasse*) et opéras (*La Vivan-
dière*, 1895) connurent une certaine vogue. La ber-

ceuse de *Jocelyn* (1888) a longtemps chanté dans
bien des mémoires. André Gedalge (1856-1926)
s'occupa de librairie avant d'aborder la musique
et d'être nommé en 1905 professeur de contrepoint
et fugue. D'Henri Rabaud à Jean Wiéner, presque
tous les grands maîtres de l'école contemporaine
auront séjourné à sa classe et lui seront redevables
d'un excellent enseignement dont on peut mesurer
la valeur dans les ouvrages pédagogiques (*Traité
de la Fugue*, 1904).

## V. — Les prophètes d'un âge nouveau

**1. Georges Bizet (1838-1875).** — Par son honnê-
teté, sa franchise et sa recherche constante de la
vérité qu'il tenait pour la « source de toutes les
beautés artistiques — et pas seulement artistiques ! »,
Bizet s'était déjà détourné avant la guerre de la
société impériale. Celle-ci lui avait pourtant accordé, moyennant les concessions de rigueur, un
début d'existence relativement aisé (1). Obéissant
autant à sa vocation qu'à sa formation (il fut
comme Gounod l'élève d'Halévy), Bizet se tourne
vers le théâtre et déclare se trouver là seulement
à son aise. Mais il y surpasse ses prédécesseurs et
aborde avec un même bonheur le piano *( Variations
chromatiques)* et l'orchestre (Symphonie *Roma*).
Symphoniste à seize ans, compositeur d'opérettes couronné à dix-sept ans, Prix de Rome à
dix-huit ans, Bizet s'impose très tôt comme un
technicien hors-pair. Esprit cultivé, épris d'idéal,
il se montre à travers sa correspondance attentif
à des problèmes qui ne concernent pas seulement
son art.

(1) Cf. chap. III, pp. 29 et 40.

Au lendemain de la guerre, Bizet s'inscrit tout naturellement dans le nouveau mouvement musical et fréquente assidûment la classe de Franck. De ces cinq dernières années on peut délibérément laisser de côté l'ouverture de *Patrie*, tenir pour un premier essai dans l'opéra-comique *Djamileh* (1872) et ne retenir que les trois authentiques chefs-d'œuvre : la musique de scène de *L'Arlésienne* (1872), la suite à quatre mains les *Jeux d'Enfants* (1873) en partie orchestrée par l'auteur, et l'opéra-comique *Carmen* (1875) où s'épanouissent les qualités déjà présentes dans les deux partitions antérieures. Bizet excelle surtout dans la peinture du mouvement ; en témoignent les meilleures pièces des *Jeux d'Enfants*, celles-là même dont il fit une suite d'orchestre *(La Toupie, Trompette et Tambour, Le Bal)*, comme certains interludes de *L'Arlésienne*. Contrapuntiste habile, harmonisateur adroit, orchestrateur éprouvé, Bizet musicien de théâtre apporte — fait nouveau et significatif — dans l'élément instrumental. S'il ne révolutionne pas la conception générale et la structure de l'opéra-comique dans *Carmen*, il accorde une première place aux chœurs et ensembles *(Quintette, Trio des Cartes)*. L'orchestre n'est plus une vaste guitare mais un élément essentiel du drame. De ce point de vue la leçon de Wagner semble déjà porter des premiers fruits plus importants que l'usage d'un seul leit-motif, traité non symphoniquement d'ailleurs, pour symboliser le personnage central. Par ailleurs, et en ce sens, Bizet bouleverse bien davantage les conventions ; il serre d'aussi près que possible son texte et parvient à l'expression la plus juste et la plus variée qui ait jamais été atteinte à la scène. Pour cette seule raison, et en dépit de faiblesses imputables au livret et impliquant des concessions auxquelles — on l'oublie

trop souvent — Bizet ne consentit qu'à contrecœur,
*Carmen* a gardé et conservera une éternelle jeunesse.
Un souci constant de réalisme a conduit Bizet à
redonner à des mélodies espagnoles leur verdeur
et leur relief originels (*Habanera*, dernier entracte).
A des cadres et des formules usées, Bizet insuffle
une telle vie qu'il semble les avoir recréées. Ce sont
là les signes non seulement d'un talent supérieur,
mais d'un génie mort avant d'avoir pu se forger un
idiome personnel. « Cette musique pleine de soleil
et d'action qui retrempe aux sources populaires
son aristrocratique distinction fait contraste avec
les symphonies philosophiques de Wagner. Par
son naturel même et la claire conscience qu'elle
avait du génie de sa race, elle était bien en avance
sur son temps » (R. Rolland).

On en saisira que mieux les incompréhensions
qu'elle rencontra en France et les querelles qui lui
furent faites. Toutes n'étaient pas purement esthétiques : par son réalisme qui fit scandale, *Carmen*
ouvrait la voie aux drames naturalistes de Bruneau
et de Charpentier. A travers *Carmen*, Nieztsche,
rompant avec Wagner, opposait au mysticisme
brumeux et pervers de *Parsifal* la plus saine antidote.
Il saluait en Bizet un nouveau triomphe du lyrisme
méditerranéen.

2. **Emmanuel Chabrier (1841-1894).** — Il entre
dans la carrière à l'âge où Bizet vient de disparaître.
Personnage un peu inattendu que cet employé
de ministère, d'origine auvergnate, prodigue en
bons mots, émotif et tendre comme un enfant,
collectionneur averti des toiles de Manet, admira-
teur de Wagner, ami de Franck et de ses disciples
et qui n'a reçu pour formation musicale que des
leçons de professeurs obscurs. Les premières pièces
de salon ne laissaient guère prévoir l'éclosion sou-

daine d'une si étonnante individualité. Les dix
*Pièces pittoresques* (1881) précédées d'un *Impromptu*
(1873), suivies d'une *Bourrée fantasque* (1890)
et de *Cinq Pièces posthumes* (1897) auxquelles on
ajoutera les *Trois Valses Romantiques* à deux pianos
(1883) allaient sonner en France l'avènement d'une
littérature de piano *véritablement originale*. Quelques-
unes sont passées à l'orchestre *(Suite pastorale)*
auquel Chabrier destine encore une *Joyeuse Marche*
(1877), une rapsodie *España* (1883), un *Larghetto
pour Cor* (1874)... Mais le théâtre l'attire avant
tout : l'opérette *L'Etoile* — qui marque l'entrée de
Chabrier dans la vie musicale (1877) — emprunte
encore ses effets à l'arsenal comique d'Offenbach,
mais atteint à une tendresse plus touchante (romance de l'Etoile), à une drôlerie plus irrésistible
(couplets de la chartreuse verte) grâce à un soin
nouveau apporté à l'harmonie et à l'orchestration.
*Une Education manquée* (1878) confirme ces qualités et s'achemine vers l'opéra-comique que Chabrier aborde également *(Le Roi Malgré lui*, 1887)
ainsi que la cantate (*La Sulamite*, 1885) et le drame
lyrique (*Gwendoline*, 1888). Mais doué avant tout
pour le genre léger, il intronise définitivement
l'humour dans la mélodie (*Les Cigales, Ballade
des gros Dindons, Pastorale des Cochons roses, Villa-
nelle des petits Canards*, 1890).

Aujourd'hui encore, l'auditeur moyen reste frappé
par l'absence de goût dans l'invention mélodique
plutôt que par la débauche frénétique et l'ingéniosité des rythmes, la luxuriance de l'harmonie, d'une
sensibilité si neuve, et de l'orchestration où abondent également des trouvailles géniales. Chabrier
a aussi peu de discernement que Rostand et autant
de truculence que Jarry. Cet amateur aux manières
et au style peu conformistes fut raillé par les offi-

ciels, mais accueilli favorablement par la classe
de Franck. Que tant de grands maîtres, de Debussy
à Georges Auric — et en premier lieu Ravel qui
fut pourtant la distinction même —, aient puisé
à une telle source est la preuve d'une admiration
qui peut sembler paradoxale, mais est au contraire
parfaitement lucide. Chabrier, moins encombré
par son bagage d'école que Bizet, retrouve une
franchise, un tour nerveux et incisif et aussi une
délicatesse de touche authentiquement français.
Après avoir assisté à la première audition des *Pièces
pittoresques*, César Franck se serait écrié : « Nous
venons d'entendre quelque chose d'extraordinaire ;
une musique qui relie notre temps à celui de Coupe-
rin et de Rameau ! » L'attribution d'un tel jugement
importe moins que sa profonde justesse. Mais Chabrier se relie, plus qu'aucun de ses contemporains,
par son esprit et par ses innovations, à Debussy
et à Ravel. Certes, ceux-ci n'ont retenu que les
pépites d'or charriées par le torrent de son inspiration, les ayant soigneusement débarrassées de
leur gangue, de cette gangue qui empêche et empêchera encore probablement quiconque se borne à
une appréciation superficielle de les apercevoir.

# TROISIÈME PARTIE

# *L'APOGÉE D'UN ART NATIONAL ET INTERNATIONAL ET SES LENDEMAINS*

———

## CHAPITRE V

## L'ÉPOQUE 1900 (1891-1918)

Jusqu'en 1913, la société connaît une stabilité relative ; elle tend à se replier sur elle-même. Les peintres et les musiciens réagissent en se retournant vers la nature. A la fin du XVIIᵉ siècle, on cherchait à fuir le cadre guindé et factice de la Cour. Au seuil du XXᵉ siècle, il s'agit de s'évader du décor confortable et morose des intérieurs bourgeois.

Dans cet univers étroit et vicié qui n'enfante que l'ennui et le désœuvrement traduits par les poètes symbolistes, s'étaient complu et devaient encore se complaire bien des musiciens. Des croyants comme Franck ou Duparc avaient pu se réfugier dans la prière ou dans le rêve. Bizet et Chabrier, foncièrement athées, recherchaient la vie et le mouvement. Du second, plus audacieux, la musique toute neuve, gonflée des bruits et des senteurs de la nature, évoque les premières toiles impressionnistes.

Debussy et Ravel allaient définitivement imposer cet idéal panthéiste vers lequel tendront parallèlement des maîtres de grand talent, de génie

même. Déodat de Séverac condamnera les salons
avant d'aller réchauffer sa muse au spectacle de
la campagne ; Vincent d'Indy abandonnera pro-
gressivement les légendes symboliques au profit
des paysages méditerranéens...

L'art 1900, plus précisément l'art décoratif qui
fit le triomphe de l'Exposition Universelle, s'ins-
pirait de motifs végétaux ou floraux, et s'efforçait
de retrouver un mouvement aussi proche que
possible de celui de la nature. Il y aura plus d'une
correspondance entre l'art décoratif et la musique.

Mais depuis que la lumière est entrée dans les
salons, des musiciens rêvent d'une musique de
plein air qui, par sa nature même, s'adresserait à
un public plus vaste et exigerait de plus grands
moyens. Fauré compose une musique d'accompagnement pour *Prométhée* à l'intention des Fêtes de
Béziers. L'occasion fut ainsi donnée à un musicien
intimiste de se surpasser, de dépasser même ses
contemporains quant à la grandeur architecturale.

Le problème des rapports de l'artiste et de l'auditoire préoccupa profondément un Debussy, un
Paul Dukas. Il ne reçut que des solutions incom-
plètes, en cette fin du XIXᵉ siècle où triomphent
l'individualisme sensitif, le raffinement suprême et
aristocratique de l'art musical.

## I. — Évolution des formes musicales

Après avoir pris conscience de son retard dans le présent,
l'école française acquiert une notion de plus en plus nette de
son éclat dans le passé. Les polyphonistes de la Renaissance
reviennent effectivement et définitivement à la vie musicale
grâce à Charles Bordes, fondateur de la Schola Cantorum et des
Chanteurs de Saint-Gervais, et à Henry Expert. A son tour,
Rameau resurgit de l'oubli après les efforts parallèles ou
conjugués de Saint-Saëns, d'Indy, Magnard... La musicologie
*en tant que science* apparaît alors ; l'histoire de la musique est

enseignée, selon le vœu de Berlioz, au Conservatoire qui subit
des réformes sérieuses et profondes sous les directions de
Théodore Dubois (1896-1905) et de Gabriel Fauré (1905-1920).

Le chant grégorien et la musique grecque antique sont
remis à l'honneur à la suite des travaux des moines de Soles-
mes et de Maurice Emmanuel. La monodie populaire enfin,
entendons par là la chanson de terroir appartenant à un passé
qui se survit dans quelques provinces, est l'objet d'études
et de collectages minutieux.

Toutes ces incursions dans le passé ont aidé la musique
française à reconquérir son originalité, mais aucune d'elles n'a
joué au départ un rôle déterminant, pas même la connaissance
de la chanson folklorique quel qu'ait été le profit que des
musiciens secondaires ont pu en tirer. La révélation des
musiques populaires exotiques et surtout des maîtres russes
à partir des Expositions Universelles de 1889 et de 1900 ont
eu certainement plus d'importance. Le théâtre et la chorégraphie russes se sont imposés plus spécialement avec les chanteurs (Chaliapine), danseurs (Nijinsky, Lifar, Trouhanowa,
Massine), décorateurs (Léon Bakst) et chorégraphes (Michel
Fokine) des Ballets Russes de Diaghilev.

Cette troupe débute à Paris en 1909 ; elle accorde autant
d'importance au décor et à la musique qu'à la danse dont les
pas conventionnels s'effaceront devant une mise en scène
entièrement originale, étrange, soucieuse de nouveauté à tout
prix jusqu'à un certain formalisme. La composition d'un
ballet obéira aux mêmes impératifs que celle d'un poème symphonique avec pour seule différence la recherche d'une vie
rythmique supérieure. A la fusion entre la symphonie et le
drame amorcée par Wagner, succède celle de la symphonie
et de la danse. Certains ballets ressembleront à des drames
lyriques en raccourci ; les chœurs, avec ou sans paroles, se
mêleront à l'orchestre pour accroître son pouvoir évocateur
ou expressif. La brièveté et la densité caractériseront ces partitions dont les plus développées n'excéderont pas une heure.
Diaghilev inaugurera ainsi la soirée de ballets remplaçant les
représentations autrefois consacrées à une seule œuvre. La
musique gagnera à un tel resserrement ; la danse sera entièrement à son service : dans le thème varié, par exemple, les pas
fixés pour toujours imposaient la stricte obéissance à des
canons immuables. Désormais les danseurs adapteront leurs
évolutions sur des variations entièrement libres et d'une substance infiniment plus riche. Ces poèmes chorégraphiques,
qui comptent parmi les grands chefs-d'œuvre symphoniques
du début du XXe siècle, supporteront comme certaines musi-

ques de scène l'exécution intégrale ou fragmentaire au concert.
Il était nécessaire d'insister sur cette révolution pour montrer
que l'art symphonique s'est renouvelé et enrichi entre 1900
et 1914 tout autant sinon davantage à la scène qu'au concert.
C'est dans le ballet et non dans la symphonie que Diaghilev
voyait la forme de l'avenir.

Au théâtre, Wagner n'est plus seulement accessible aux
pèlerins de Bayreuth. Ses opéras qui s'inscrivent définitivement au répertoire (1888) auront une postérité digne d'eux.
Ils laisseront une empreinte profonde au-delà même du drame
lyrique.

L'opérette, par exemple, se relève en adoptant la construction wagnérienne par scènes et non plus par morceaux séparés.
La « comédie » et la « fantaisie lyriques » se rapprochent plus
que jamais de l'opéra-comique, sinon du grand opéra (*Fortunio* de Messager). L'opérette traditionnelle se maintient jusqu'à l'apparition du cinéma comme le spectacle populaire par
excellence. Le besoin de renouvellement incessant des programmes aboutit à une véritable industrialisation. L'opérette
décline... A la génération des Lecoq, Varney, Planquette,
succède celle des Victor Roger, Léon Vasseur, Serpette, Gou-
blier père et fils, Louis Ganne (1862-1923), l'auteur des *Saltim-
banques* et de *Hans le joueur de flûte* !

Au concert, l'attention se porte toujours plus vers la symphonie ou le poème symphonique que vers le concerto plus
capable, dit-on, de brillant que de profondeur. L'absence de
chorales attachées en permanence auprès des associations
symphoniques explique pour une part le petit nombre d'œuvres
polyphoniques concertantes. Les créations dans l'oratorio
ou la cantate sont plutôt rares et n'évitent pas toujours le
mauvais style théâtral. En revanche la résurrection des maîtres de la Renaissance provoque plus qu'un regain d'intérêt
pour la polyphonie *a capella* que seuls les romantiques allemands avaient continué d'illustrer.

L'existence d'une littérature dite péjorativement« de salon»
et aux effets qualifiés par Chabrier de « garantis, sûrs et certains» ne doit pas faire oublier, comme le soulignait Reynaldo
Hahn, que le répertoire du piano en général, comme celui de la
mélodie ou de la musique de chambre, a été conçu pour être
apprécié dans ce cadre d'abord ; sinon dans ce cadre seulement en ce qui concerne le piano à quatre mains dont les œuvres maîtresses ne doivent leur célébrité et leur diffusion qu'à
leurs orchestrations. On signalera en passant, pour mémoire,
la réhabilitation de la harpe par des interprètes comme Hen-
riette Renié et sa transformation en harpe chromatique.

Les vents se produisent surtout en public et le plus souvent
à l'occasion des examens du Conservatoire pour lesquels les
compositeurs écrivent des morceaux de concours. L'intérêt
est encore limité pour ces instruments dont la facture et l'enseignement accomplissent cependant de sérieux progrès.

La musique religieuse, enfin, cherche à se définir en marge
du théâtre et du salon, suivant la voie indiquée par le *Motu
Proprio* de Pie X (1903) : « Réformer le chant de l'église en le
ramenant à ses sources », reconnaissance implicite du bien-
fondé des restitutions de chefs-d'œuvre sacrés de la Renaissance et de la monodie grégorienne. Néanmoins, le motet encore
plein de mondanités jouit d'une plus grande faveur que la Messe.

L'orgue subit des transformations qui aboutissent à une
synthèse des factures classiques et romantiques ; ce nouvel
instrument, dit « néo-classique » ou « synthétique » et dont le
premier spécimen sera construit à Nantes par Debierre en 1888,
se prêtera à l'exécution des maîtres anciens de l'orgue réédités
par Guilmant à partir de 1904. Cette nouvelle redécouverte
incitera davantage les organistes à trouver un style sinon
plus religieux en tout cas plus liturgique. Les dernières symphonies de Widor amorcent en même temps que certaines pièces
de Gigout et de Guilmant un mouvement qui ne s'épanouira
que plus tard. Jusque vers 1920-1930, l'orgue de concert roman-
tique-symphonique prédomine.

Avant que Debussy ne surgisse et que la musique
ne s'engage alors sur de nouvelles voies, Gabriel
Fauré et Vincent d'Indy atteignaient leur maturité,
pourvus d'un bagage sérieux. Ces deux maîtres,
malgré leur différence profonde de nature, devaient
connaître un destin assez analogue, leur épanouissement se situant au terme de leur carrière
dans le premier tiers du XXᵉ siècle. Tous deux
auront été, après la mort de Franck, les plus grands
compositeurs-professeurs de composition (1) auxquels se sera formée toute une génération de musiciens parmi lesquels Ravel, Florent Schmitt,
Albert Roussel... Fauré et d'Indy auront impulsé
deux courants assez dissemblables mais dont l'exis-

(1) Dukas et Ravel ne professeront qu'au lendemain de la guerre
de 1914-1918.

CHRIST'S COLLEGE

tence aura donné à l'école française des années
1900-1920 une part de sa richesse et de sa diversité.
L'apport de Fauré et de d'Indy sur le plan de la
création proprement dite reste à déterminer.

## Gabriel Fauré (1845-1924)

**La vie.** — Né à Pamiers (Ariège) et mort à Paris, Fauré
reçut toute sa formation à l'Ecole Niedermeyer. Avant 1870,
il publiait son premier recueil de mélodies (1). Organiste à la
Madeleine, professeur de composition (1896) puis directeur
du Conservatoire après l'affaire Ravel (1905), enfin membre
de l'Institut (1912), Fauré aura vécu à égalité les périodes post-
romantique et symboliste, produisant pendant près de
soixante ans plus de cent vingt numéros d'*opus*.

**L'œuvre.** — La division en périodes semblera
moins justifiée que pour Debussy : l'évolution du
style n'aura été qu'une constante sublimation,
indifférente à tout apport extérieur. Fauré est le
continuateur des romantiques, plus exactement
de certains romantiques chez qui le goût de la
confidence l'emporte sur celui de l'éclat. Désireux
d'exprimer des états d'âme et de les laisser seuls
transparaître, il évite tout truchement litttéraire
ou visuel ; il adopte les cadres les plus classiques ;
mais il en arrondit les angles pour n'en plus laisser
surgir que les contours essentiels. Il s'abstient
pareillement de toute recherche purement instrumentale, limite son écriture de piano à l'accord ou
à l'arpège et confie ses travaux d'instrumentation
à ses élèves ou amis, et aussi malheureusement à
des mains moins expertes. Son horreur instinctive
de tout ce qui peut paraître appuyé lui fait éviter
le théâtre jusqu'à la maturité. Il lui préfère la
musique de scène (*Caligula*, 1888 ; *Shylock*, 1889 ;
*Pelléas et Mélisande*, 1896). Du *Requiem* il délaisse la

(1) Cf. chap. III, p. 44.

prose. Dans ses mélodies il abandonne les romantiques
avec lesquels il s'accordait assez mal pour les parnassiens et les symbolistes auxquels il restera fidèle.

Le *Clair de Lune* (1887) ouvrira à la fois l'heureuse collaboration Fauré-Verlaine et inaugurera
la série ininterrompue des chefs-d'œuvre contenus
dans le troisième recueil (1900), *La Bonne Chanson*
(1896), *La Chanson d'Eve* (1905-1910), *Le Jardin
clos* (1915), *Mirages* (1918), et l'*Horizon chimérique*
(1922). Au piano, Fauré prolonge Chopin à travers
ses *Impromptus*, *Nocturnes*, *Barcarolles*, *Préludes*,
*Huit Pièces Brèves*, auxquels on ajoutera une suite
à quatre mains : *Dolly* (1896), une *Ballade* (1881)
et une *Fantaisie* (1919) avec orchestre. Fauré se
dégage plus tardivement d'une esthétique de salon
un peu superficielle avec le sixième *Nocturne* (1894).
Cette production abondante est dominée par le
*Thème et Variations* (1897). La musique de chambre
représente une autre constante avec deux *Sonates*
pour piano et violon (1876-1917), deux autres
pour violoncelle (1918-1922), deux *Quatuors* (1879),
deux *Quintettes* (1906-1921), un *Trio* pour piano et
cordes (1923) et un *Quatuor* à cordes (1924).

Mais qu'on se garde de tenir cet intimiste pour
incapable d'être à l'occasion violent et éclatant
avec autant de force persuasive — et moins d'insis-
tance ! — que Wagner. *Prométhée* (1900), avec ses
chœurs, ses airs et interludes très développés, domine
de loin toute la production de Fauré et prélude
aux accents grandioses du *Psaume* de Schmitt.
Certes le mythe grec y est traité plutôt dans la
note tendre (air d'Hephaïstos) qui dominera également dans *Pénélope* (1913), ultime drame lyrique
français dans le prolongement de Wagner. La
fidélité à celui-ci y sera plus apparente que dans
*Pelléas* à travers les structures : les thèmes sont

plus limités, le soutien orchestral aussi discret que
l'accompagnement des mélodies, les dieux absents
et les personnages ramenés à une échelle humaine.

Dans la mélodie où il est reconnu comme un
maître incontesté, sa démarche vers l'économie
de moyens se traduit par un recours à des voix de
plus en plus moyennes et resserrées dans leur
ambitus. Par la limitation de ses évolutions, l'accompagnement reste toujours un « accompagnement ». Un ou deux accords arpégés ou plaqués
suffiront pour introduire dans l'atmosphère du
sujet. Les formules pianistiques seront sensiblement les mêmes que celles de Gounod et n'auront
pour intérêt supérieur que le rythme et les enchaînements harmoniques. Le piano dialogue avec la
voix, acquiert exceptionnellement une autonomie
quasi complète *(Clair de Lune)* et se réserve le
soin de conclure dans des postludes aussi ramassés
que ceux de Schumann et des codas aussi ouvragées
que celles de Gounod *(Au cimetière ; Lydia)*.

Pour mettre avant tout en valeur le sens général
du poème, Fauré observe un mot à mot moins
rigoureux que Debussy. Il lui arrive alors de com-
mettre certains hiatus. Dans *Prison*, la progression
sur « cette paisible rumeur-là » aboutit à un forte.

La réussite de la mélodie tient cependant au fait
que Fauré est seul à avoir ramené à sa juste pro-
portion l'évocation du milieu ambiant, sur lequel
se sont étalés Reynaldo Hahn ou Déodat de Séverac,
pour faire ressortir le drame contenu dans les derniers vers. Différence essentielle entre celui qui
transcrit et celui qui transpose et qui nous fait
toucher du doigt à la nature même de l'art fauréen.

« Tous ceux qui, dans le domaine de l'esprit
humain, ont semblé apporter des pensées et un
langage jusqu'alors inconnus n'ont fait que traduire

à travers leur sensibilité personnelle ce que d'autres
avaient déjà pensé et écrit avant eux. » Cette phrase
de Fauré nous éclaire singulièrement. Dans son
évolution, Fauré a conservé une homogénéité de
style et une stabilité d'esprit qui le situent à la
fois dans son temps et un peu en marge de celui-ci.
Les tendances qu'il a vu se succéder ne l'ont guère
marqué. Il reconnaissait lui-même que s'il avait
réellement compris Debussy, il n'aurait pas été
Gabriel Fauré ! Toute sa vie il est resté fidèle à
ceux qu'il avait choisis pour modèles : Chopin,
Schumann, Saint-Saëns, Mendelssohn pour la musique instrumentale, Wagner pour la scène, Gounod
pour la mélodie. Il fut cependant, à sa manière
et en dépit des apparences, un novateur, parce
qu'il eut le mérite de pousser leur esthétique jusqu'à ses extrêmes limites.

Sa mélodie a recours aux modes, voire à la gamme
par tons ; elle n'en conserve pas moins une coupe
régulière et l'étonnante richesse des modulations
qu'elle engendre n'exclut jamais dans les fins de
phrase ces réaffirmations inattendues et oppor-
tunes de la tonalité. Celles-ci constituent une part,
mais une part seulement de ce charme fauréen
dont certains pédagogues, admirateurs trop zélés
du maître, ont prétendu et prétendent encore
révéler le secret en en démontant seulement les
ressorts ! Fauré n'a pas seulement vivifié par sa
sensibilité propre les accords et les suites d'accords
les plus usuels. Il a, par ailleurs, moins créé d'agrégations nouvelles qu'élargi au maximum les règles
d'enchaînements. La recherche constante d'une
expression, toujours plus épurée, toujours plus
immatérielle — Fauré fut par excellence le musicien
de la sérénité — devait aboutir à un estompage
mélodique, harmonique, architectural, rythmique

même. Fauré a approché quelque peu de l'atonalisme. Mais en déclarant « je suis allé aussi loin qu'il
était permis », il entendait prouver qu'en aucun
cas il ne visait à transgresser les lois du monde
tonal. D'où ce conformisme apparent et réel qui est
à l'origine de tant de malentendus et qu'une connaissance toujours imparfaite de l'œuvre n'a guère
dissipés. Fauré musicien de salon ? Cette qualifi-
cation péjorative, suspecte même, contient cependant une part de vérité plus psychologique qu'esthétique. Entendons-nous bien : Fauré s'est rarement
évadé de ce cadre, mais il refusa de plus en plus de
sacrifier pour autant au confort. A mesure que
les années passèrent, ses œuvres se firent moins
aimables, furent moins comprises et restent encore
moins admirées. Il y eut là une volonté de renoncement qui ne s'est pas manifestée, certes, à grand
son de trompe ! La personnalité de Fauré s'annon-
çait seulement dans les premières œuvres. Fauré
aurait sans doute fait siennes ces paroles d'Hille-
macher opposant la stagnation de Gounod à
l'ascension de Beethoven, de Verdi et de Wagner :
« Ce n'est pas renier ce que l'on a cru être le beau et
le vrai que de rêver à la perfectibilité des moyens
ayant jadis servi à exprimer cette beauté et cette
vérité. »

## Vincent d'Indy (1851-1931)

**La vie.** — Né à Paris, Vincent d'Indy descendait
d'une vieille famille nobiliaire originaire du Vivarais ; il séjourna à maintes reprises dans cette
région dont il prospecta systématiquement le folklore et qu'il choisit comme thème d'inspiration
ou lieu d'action de certaines compositions lyriques,
symphoniques ou instrumentales.

Vincent d'Indy reçut une solide formation géné-

rale et entreprit ses études de droit. Ce n'est qu'au
lendemain de la guerre, après une audition de
*Sigurd*, qu'il décida d'abandonner la jurisprudence
pour la composition. En 1871, il était entré à la
Société Nationale de Musique et s'était lié avec
Saint-Saëns et Duparc. Celui-ci le présenta à César
Franck. En 1872, d'Indy entreprenait l'étude de l'orgue puis de la fugue avec le « Père Franck » auquel
il devait consacrer plus tard un ouvrage exhaustif
qui fit longtemps autorité et répandit sur l'organiste de Sainte-Clotilde une encombrante légende.

Le succès de la deuxième ouverture de *Wallens-*
*tein* (1874), l'exécution du *Poème des Montagnes*
pour piano (1881), du poème *Sauge-fleurie* (1884), de
la *Symphonie sur un Chant montagnard* (1886),
de la *Suite en ré* dans le style ancien, du *Trio avec*
*clarinette* (1887) et du *Premier Quatuor* (1890)
marquent les débuts de d'Indy dans la carrière.
Cette carrière ne sera pas seulement celle d'un
compositeur mais aussi d'un chef de chœurs et
d'orchestre, d'un organiste, d'un corniste et tim-
balier de concert, d'un secrétaire puis président
de la Société Nationale de Musique et d'un co-fon-
dateur avec Bordes et Guilmant de la Schola
Cantorum où il enseignera la composition de 1897
à sa mort. Entre-temps il aura été appelé par Fauré
à succéder à Paul Dukas à la classe de direction
d'orchestre du Conservatoire où il aura eu pour
élèves Hoérée et Honegger.

Après la mort de Franck, d'Indy est salué comme
le plus grand symphoniste et aussi comme le dra-
maturge dont on attend la création d'un drame
lyrique national français où tous les arts seraient
associés comme chez Wagner pour la célébration
de sujets empruntés à la légende ou à l'histoire.
La création de *Fervaal* (1881-1895), dont Vincent

d'Indy a rédigé lui-même le livret, (il ne procédera pas différemment en ce qui concerne ses œuvres lyriques ultérieures) semble confirmer cette attente. En 1903, le Théâtre de la Monnaie de Bruxelles ouvre ses portes à *L'Etranger* (1898-1901) nouveau drame inspiré également d'une pièce symboliste scandinave. Entre-temps, d'Indy a fait jouer au concert les variations d'*Istar* (1896), *Chansons et Danses pour vents* (1898) et la *Deuxième Symphonie en si bémol* (1902-1903). En 1905 et 1911, d'Indy se produit comme chef d'orchestre aux Etats-Unis puis à Moscou. De cette période où il professe la composition à la Schola, citons comme œuvres marquantes la *Sonate pour piano et violon* (1903-1904), la trilogie symphonique *Jour d'Eté à la Montagne* (1905), *Souvenirs* (1906) pour orchestre et la *Sonate en mi pour piano* (1907). De 1908 à 1915, d'Indy compose *La Légende de Saint-Christophe,* drame sacré qui ne sera représenté à l'Opéra qu'en 1920. La *Sinfonia Brevis De Bello Gallico,* inspirée par les événements de la guerre, met un terme à cette période, sans doute la plus féconde.

A partir de 1917, Vincent d'Indy séjourne à Agay près de Saint-Raphaël. La Méditerranée se substitue aux Cévennes non seulement comme lieu de villégiature et de travail mais comme source d'inspiration (*Poème des Rivages,* 1919-1921 ; *Diptyque méditerranéen,* 1925-1926). Ces dernières années sont surtout jalonnées par des œuvres de musique de chambre (*Quintette à cordes,* 1924 ; *Thème varié, Fugue et Chanson pour piano,* 1925 ; *Sextuor à cordes,* 1928 ; *Fantaisie pour piano sur un vieil air de ronde française,* 1930), et de nombreuses harmonisations pour chœur *a capella.*

Pas plus que la production n'avait diminué, l'activité de d'Indy ne se ralentit dans cette ultime

décade : le maître effectua une dernière tournée
aux Etats-Unis (1921-1922). Strasbourg lui consacra
une « semaine d'Indy ». La mort vint le frapper
subitement alors qu'il travaillait à une étude sur
*Parsifal* et projetait d'écrire un quatrième *Quatuor*.

On doit encore à Vincent d'Indy deux recueils
de *Chansons du Vivarais* harmonisées avec piano
et de nombreux essais et ouvrages sur les sujets
les plus divers. Vincent d'Indy collabora en outre
à la nouvelle édition des œuvres de Rameau entreprises par Saint-Saëns et fut un des premiers resti-
tuteurs de Destouches et de Monteverdi.

L'œuvre. — Vincent d'Indy a toujours été par-
tagé entre deux attitudes extrêmes sur un plan
aussi philosophique que musical, l'une germani-
sante, l'autre nationaliste. La formation qu'il
reçut de César Franck et la découverte qu'il fit
plus tard de Wagner, dont il devint un défenseur
avisé, le fortifièrent dans son admiration profonde
pour le romantisme germanique. Par ailleurs,
cet aristocrate patriote milita constamment en
faveur de la musique française et s'efforça de
retrouver une veine authentiquement nationale
à la double lumière du passé et de la chanson de
terroir. La création de la Société Nationale de Musique, la découverte de Wagner, l'apparition de
Debussy, la guerre de 1914-1918 expliquent les
tendances expressives correspondant tour à tour
à une de ces deux attitudes.

Malgré ces oscillations et en dépit d'un effort
très sensible pour l'allégement du discours musical
dans les dix dernières années, la musique de d'Indy
a conservé les mêmes caractéristiques : une absence
de don mélodique, plus précisément de jaillissement
mélodique spontané reconnu par les admirateurs
les plus fervents du maître et qui explique le

recours en compensation à une thématique d'origine populaire ou grégorienne. La présence de ces deux éléments au sein d'une même partition est souvent cause d'un certain disparate. Mais un tel défaut ne saurait justifier à lui seul la cérébralité par trop excessive de cet art. Henri Duparc s'est montré sans doute un peu sévère pour son ami d'Indy lorsqu'il affirmait qu'il ne devait jamais retrouver la spontanéité de la *Symphonie cévenole.* *Chansons et Danses* pour septuor à vent ou le *Poème des Montagnes* pour piano sont des partitions tout aussi bien venues, tout aussi plaisantes... Mais d'Indy fait preuve en revanche d'autres qualités : son langage âpre où le chatoiement harmonique est absent, volontairement évité, est celui d'un contrapuntiste habile et ses développements sont ceux d'un savant architecte érigeant les principes de son maître César Franck en une règle de conduite que ses disciples auront vite transformée en dogme. Enfin d'Indy se révèle, à l'inverse de César Franck, comme un orchestrateur brillant et ingénieux. De bonne heure, il avait complètement assimilé le Traité de Berlioz ; il sut tirer profit des innovations de ses contemporains. Ceux-ci ont reconnu à leur tour avoir beaucoup appris de lui.

En raison même de toutes ces caractéristiques, on comprendra fort bien que Vincent d'Indy se soit concentré avant tout en direction de l'orchestre ou du théâtre. Rien ou peu de choses à retenir de ses rares mélodies, quelle qu'ait été la popularité du *Lied maritime*, ni de ses pièces d'orgue, ni de ses chœurs à peine plus nombreux, exceptées les harmonisations dont nous avons souligné plus loin l'importance chronologique (1).

_____

(1) Chap. VI, p. 111.

Sa musique de chambre, d'où aucune partition ne paraît dominer, est le champ d'expérimentation par excellence de ses conceptions architecturales.

Celles-ci se trouvent illustrées avec moins d'austérité et plus d'attrait dans les symphonies et poèmes symphoniques.

Au théâtre, Vincent d'Indy, avec plus de goût et de discernement que Bruneau et Charpentier, fait siennes avant Debussy les théories wagnériennes. Dans sa *Légende de saint Christophe* il nous livre une profession de foi non seulement musicale mais aussi philosophique voire politique.

Il paraît difficile d'affirmer avec certitude lequel des trois ouvrages lyriques, lequel des nombreux poèmes symphoniques bénéficiant d'une diffusion moins parcimonieuse résistera à l'épreuve du temps. S'il est généralement reconnu comme un maître dont l'influence, heureuse ou non, fut indéniable, Vincent d'Indy sera-t-il pareillement tenu et dans quelle mesure pour un *créateur* ? Seul l'avenir semble pouvoir répondre à cette question.

## IMPRESSIONNISME OU SYMBOLISME ?

On a beaucoup discuté de l'impressionnisme en musique. Une toile de Sisley ou de Pissarro *fixe* une vision, une impression fugitive dans sa durée. Une partition de Debussy par son déroulement juxtapose des impressions, des sensations. Cette différence de condition des deux arts n'autorise pas à nier l'existence d'un impressionnisme musical : harmonie dominant sur la mélodie comme la couleur sur le dessin, orchestration fluide allégée jusqu'à la réduction effective de l'appareil instrumental. Une conception aussi révolutionnaire impliquait la création d'une nouvelle technique : éviction de

toute carrure, de toute netteté de trait, rempla-
cement des grandes périodes mélodiques par des
fragments invariables donnant lieu à des irisations
par leurs harmonies chaque fois différentes, assou-
plissement de la mélodie par des échelles de toutes sortes permettant une harmonisation nouvelle
où les accords dissonants seront émancipés de
leurs obligations fonctionnelles. Cet art de suggestion
plutôt que d'expression serait un art de sensation plutôt que d'émotion. Certes, il ignore toute
rhétorique, mais il ne demande pas moins à la
sensibilité de l'auditeur — une sensibilité, il est vrai,
affinée par l'intelligence — de partager l'émotion
du compositeur.

Impressionniste par sa technique, la musique de
Debussy se rattache à la poésie symboliste par ses
thèmes. Ce n'est d'ailleurs pas le cas du seul Debussy.
Le symbole était déjà présent — et pesant ! —
dans Wagner, si cher aux poètes symbolistes dont
l'influence sur la musique allait être déterminante.

### Claude Debussy (1862-1918)

**La vie.** — Claude Debussy naquit à Saint-Germain-en-Laye.
La rencontre avec Mme Mauté de Fleurville décida de sa carrière musicale. Cette élève de Chopin lui inculqua le goût de
piano et lui enseigna les premiers rudiments. En 1873, Debussy
entrait au Conservatoire. En 1884, il obtenait le Prix de Rome
avec sa cantate *L'Enfant prodigue*. Entre-temps, il avait
été invité à séjourner en Russie comme accompagnateur chez
la protectrice de Tchaïkovsky, Mme Von Meck. Quel qu'ait
été le degré de connaissance de la musique russe qui en dé-
coula chez Debussy, ce premier voyage à l'étranger élargit
considérablement l'horizon de ses connaissances. La fréquentation des Vasnier lui permettra d'affiner sa culture poétique
et artistique. Parmi les œuvres de jeunesse de Debussy, on
cite, en dehors des premières mélodies et pièces pour piano,
la suite *Printemps* (1886) et la cantate *La Damoiselle élue* (1887)
qui lui valurent des démêlés avec l'Institut et commencèrent
à attirer sur lui l'attention.

A son retour de Rome, Debussy fréquente Mallarmé. Il partage avec lui et les autres poètes symbolistes le même culte pour Wagner. Un pèlerinage à Bayreuth, une rencontre décevante avec Brahms, la découverte de Moussorgsky à travers *Boris Godounov*, et des musiques espagnoles et exotiques à l'Exposition de 1889 sont les événements marquants de cette période qui voit naître le *Quatuor* (1893), le *Prélude à l'Après-midi d'un Faune* (1894), les grands cycles vocaux : *Ariettes oubliées* (1889), *Cinq Poèmes de Baudelaire* (1890), premier recueil des *Fêtes galantes* (1892), *Proses lyriques* (1893), *Trois Chansons de Bilitis* (1896) auxquels on ajoutera quelques mélodies isolées (*Mandoline*, *L'échelonnement des haies*, *Les Angélus...*), le triptyque *Pour le piano* (1901), et les trois *Nocturnes* (1900) dont la création lui vaut un premier succès quasi unanime. En 1893, Debussy avait assisté à la représentation de *Pelléas et Mélisande* de Mæterlinck. Il entreprend aussitôt de mettre la pièce en musique. Dix années seront consacrées à la composition du drame lyrique. Sa création à l'Opéra-Comique sera une date capitale dans les annales du théâtre lyrique. Elle marquera également le point de départ d'une nouvelle étape dans la vie du compositeur. Debussy connaît la gloire, les honneurs même. Il n'est plus obligé pour vivre d'accompagner des cours de chant ! Il collabore à des revues exposant ses idées dans des articles qui seront réunis en recueil après sa mort (*Monsieur Croche Antidilettante*, 1921). Les dix années qui précèdent la guerre voient paraître successivement : *Masques*, *L'Isle joyeuse* pour piano, le second recueil des *Fêtes galantes* et les *Trois Chansons de France* (1904), les trois esquisses symphoniques de *La Mer* (1905), les deux séries d'*Images* (1907-1907), la troisième pour orchestre, le *Children's corner*, les *Trois Chansons a capella* (1908), le *Promenoir des deux Amants*, les *Ballades de Villon* (1910). Un dernier voyage le mène à Vienne, à Budapest et jusqu'en Russie où il salue avec sympathie les débuts de Prokofiev. A cette époque, il se lie avec Strawinsky et d'Annunzio. La création du *Martyre de Saint-Sébastien* (1911) écrit en collaboration avec le poète italien provoque un scandale : le mélange du sacré et du profane déclenche les foudres de l'archevêché. A partir de ce moment la production de Debussy se ralentit. 1913 voit paraître les *Trois Poèmes de Mallarmé*, *La Boîte à Joujoux* et le deuxième livre de *Préludes*, le poème chorégraphique *Jeux*, écrit à l'intention de Diaghilev et qui déroute les auditeurs même les plus disposés à l'accueillir. En 1914 paraissent les *Six Epigraphes antiques* à quatre mains, où Debussy utilise les éléments d'une musique destinés quelque vingt ans aupa-

ravant à accompagner la déclamation des *Chansons de Bilitis*
de Pierre Louÿs.

La guerre survient ; Debussy frappé par les événements
se recueille momentanément. L'année même qu'il publie son
dernier recueil de piano *(Douze Etudes)* est celle de la *Berceuse
héroïque*, du *Noël des Enfants qui n'ont plus de maisons* et des
duos *En blanc et noir*. Plus que jamais soucieux de défendre
les valeurs authentiquement nationales, il entreprend la composition de six *Sonates*. Trois d'entre elles seulement verront le
jour et paraîtront sous la signature : Debussy, musicien
français *(Sonate pour flûte, alto et harpe ; Sonate pour violoncelle et piano*, 1916 ; *Sonate pour violon et piano*, 1918). La
maladie qui a commencé à exercer ses ravages vers 1910
emporte le musicien quelques mois avant l'armistice.

**L'œuvre.** — Trois périodes aboutissent chacune
à un ouvrage lyrique : la jeunesse à *La Damoiselle
élue*, la maturité à *Pelléas*, la maîtrise au *Martyre
de saint Sébastien*. La dernière mélodie, le *Noël
des Enfants qui n'ont plus de maisons*, donne à
penser que la vieillesse, qu'il ne fut pas donné de
connaître au musicien, eût trouvé elle aussi son achèvement dans une partition lyrique et une déclamation particulière et nouvelle.

Jusqu'à la trentaine, Debussy écrit surtout pour
la voix. Dans ses premières mélodies, il se libère davantage de diverses réminiscences, par exemple,
Massenet dont la lasciveté ne l'avait pas laissé
insensible. Leur écriture vocale incertaine, des
fautes de prosodie trahissent l'inexpérience, mais
dans les accompagnements Debussy découvre le
pouvoir expressif du piano. Leur mobilité extrême
n'est qu'une application originale des théories de
Wagner sur le rôle de la symphonie au théâtre.
Debussy découvre pareillement l'orchestre à travers
*La Damoiselle élue*.

Le contact avec les poètes préraphaélites et
symbolistes lui ouvre de nouvelles perspectives :
Debussy s'oriente vers une déclamation plus que

jamais appropriée à la langue française et dont le
syllabisme prendra sa source chez Moussorgsky.
Les *Ariettes oubliées* et les *Poèmes de Baudelaire*
marquent fort bien cette transition : la hardiesse
de la syntaxe harmonique, le pianisme aussi neuf
des accompagnements contrastent avec une ardeur
juvénile encore mal contenue et qui n'a pas oublié
Wagner, ni même Massenet. De 1892 à 1902,
Debussy produit ses grands chefs-d'œuvre vocaux
qui préparent *Pelléas*. La création de ce drame
lyrique consommera la rupture avec les poncifs
italianisants et avec l'imitation paralysante de
Wagner. Mais cette même période voit naître les
premières pièces symphoniques dont la genèse
est aussi étroitement liée à la poésie. Le *Prélude
à l'Après-midi d'un Faune* reconstitue l'atmosphère de l'églogue mallarméen, plus qu'il n'en
retrace les péripéties successives. Rappelons en
passant que Debussy avait désapprouvé la transpo-
sition chorégraphique de cette œuvre, tentée par
Diaghilev. Un même désir d'évocation caracté-
risera les *Nocturnes*, *La Mer*, les *Images* pour orchestre, les *Estampes*, *Masques*, *L'Isle joyeuse*, les
*Préludes* qui dominent une production pianistique
aussi substantielle et où l'on ne relève pas davantage de faiblesses. L'apposition des titres à la fin des
*Préludes* n'a rien d'un jeu gratuit : elle est la clé des
impressions ou des émotions fournies par le morceau.
     Il ne nous appartient pas de nous étendre ici sur
ces vingt-quatre pièces dont les plus admirables
figurent dans le deuxième recueil (*Brouillards,
Canope*) et sont restées jusqu'à nos jours moins
comprises et moins appréciées que celles du précédent. C'est au piano beaucoup mieux qu'à l'orchestre
que Debussy, par la foule d'impressions qu'il
provoque, élargit le domaine de la musique.

La deuxième série des *Fêtes galantes* met un
terme à la collaboration de Debussy avec Verlaine
et, d'une façon plus générale, avec les poètes symbolistes. Il ne reviendra qu'accidentellement à Mallarmé en 1913. Des *Chansons de France* aux *Ballades de Villon*, les textes qui l'inspireront appar-
tiendront à une veine poétique assez proche de
celle de Verlaine.

Les dernières compositions instrumentales (*Jeux,
Sonates, Etudes*) ont été longtemps mésestimées,
sinon incomprises, voire de ceux-là même qui
avaient salué les débuts de Debussy avec enthousiasme et intelligence. La raison profonde n'est
pas seulement dans leur langue plus âpre, plus aus-
tère, mais avant tout dans leurs données constructives infiniment plus audacieuses et partant plus
éloignées que jamais de toute « tradition ». Nous
aurons l'occasion de nous étendre plus loin sur
leur apport singulièrement original.

**La révolution debussyste.** — Encore élève au
Conservatoire, Debussy étonnait ses professeurs
et ses camarades par ses professions de foi singulièrement prophétiques. En taxant Wagner de
classique au sens de traditionaliste, en entrevoyant
l'avenir de la musique dans l'abandon des modes
majeur et mineur, dans l'exploration de la gamme
chromatique, dans les formes libres et mouvantes
n'ayant plus rien de commun ou presque avec les
formes consacrées, Debussy s'était tracé son iti-
néraire. Il sut cependant se montrer assez respec-
tueux des usages pour décrocher le Prix de Rome.
Il se heurta à la plupart de ses formateurs, non par
le refus d'acquérir un métier, dont il ne nia jamais
la nécessité, que par celui de se plier à des gymnas-
tiques routinières et stériles. Debussy s'est en définitive moins libéré de toute *tradition* que de toute

*servilité*. Que sa démarche ait été nécessairement
placée sous le signe de l'intuition, cela n'exclut
pas que Debussy ait patiemment élaboré ses œuvres ; beaucoup d'entre elles ont été livrées au
public longtemps après leur composition. Jusqu'à
sa mort, il ne cessa de retoucher *Pelléas*. L'impression d'improvisation qui se dégage de la musique
de Debussy n'est qu'une illusion heureuse. Nul
n'a mieux appliqué le précepte de Rameau dont il
s'est réclamé : « Cacher l'art par l'art même. »
L'absence de forme qui lui a été reprochée, si elle
avait été réelle, l'aurait empêché de survivre. Cette
critique revient, selon la frappante image de
Kœchlin, à « classer un chat parmi les inverté-
brés en raison de sa gracieuse souplesse ».

Jusqu'à la quarantaine, Debussy s'est montré
capable d'une remarquable assimilation des disciplines les plus diverses. Son *Quatuor* use, avec une
sensibilité bien neuve, d'un cyclisme franckiste
modéré ; telle mélodie renouvelle singulièrement
le lied *(En Sourdine)*, le rondeau *(Chevaux de
Bois)*, voire la chaconne *(Les Cloches)*. Dans
*Pelléas*, les leitmotive se muent en thèmes-pivot
et contribuent, par leurs harmonisations chaque
fois différentes et un choix délicat et approprié
des timbres, à établir une atmosphère poétique
irréelle, absolument exquise. Celle-là même qui
émanait du *Prélude à l'Après-midi d'un Faune* :
l'harmonie et l'orchestration en étaient si neuves
que Saint-Saëns n'y voyait que les couleurs dispo-
sées par un peintre sur sa palette, alors que la
construction était celle, rigoureusement observée,
d'un allegro de sonate à deux thèmes.

Ce qui fait la grandeur et la portée universelle
de Debussy est précisément le dépassement constant, perpétuel de ce renouveau. La libéralisation

des enchaînements, à laquelle tant d'autres se seront limités, aura été suivie chez Debussy par la recherche d'agrégations nouvelles ; à un diatonisme rafraîchi aura succédé une tonalité élargie, diluée et plus ou moins noyée à partir de *Pelléas*. De cette ambiguïté tonale, l'intervalle augmenté ou diminué fournit la clef avec ses possibilités enharmoniques. *Les Ingénus* baignent dans un climat voisin de l'atonalisme.

Dans les dernières compositions, la tonalité s'évanouit, la mélodie se brise, les *Etudes* frôlent l'athématisme, l'harmonie se durcit et approche de la bitonalité *(Brouillards, En blanc et noir)*. L'analyse ne peut plus reposer sur les données habituelles de l' « harmonie » et du « contrepoint ».

A une suppression de la hiérarchie des accords correspond à l'orchestre une égalisation des timbres. Là aussi Debussy bouleverse la « tradition ». La mélodie « s'éparpille en fractions aux différents paliers de l'orchestre » (J. Barraqué), où Debussy fait un usage délicat des timbres pris individuellement autant que des cordes divisées à l'extrême.

Dans la composition proprement dite, Debussy ne retient plus des formes traditionnelles que l'esprit. *Jeux* se fonde « sur une superposition et une juxtaposition de schèmes indépendants variés très librement aussi bien dans leur contexture rythmique que dans leurs contours mélodiques » (J. Barraqué). Voilà qui rompt avec un passé séculaire et donne à la musique un nouveau point de départ.

Or, dans cette même période, Debussy, sensible aux incursions des premiers musicologues, a cherché à retrouver l'esprit de la musique française d'antan. On dirait qu'en remontant toujours plus dans le temps, il ait voulu communier avec ces lois natu-

relles et mystérieuses qui, en dehors de toute
scholastique, ont guidé les grands maîtres depuis
les temps les plus anciens. Il semble avoir voulu
agir selon un instinct comparable à celui des pri-
mitifs de la polyphonie à l'âge héroïque du déchant,
mais un instinct raffiné, policé par l'expérience
des siècles. Après avoir ébranlé les assises de la
tonalité plusieurs fois centenaire, Debussy aurait
tenté une sorte de *recommencement supérieur*. La
comparaison de l'entre-deux-guerres avec l'époque
des Pérotin et des Machault, tentée par André Hodeir,
trouverait ici sa justification.

En remontant aux sources de la musique française
qui se confondent avec celles de la musique euro-
péenne, Debussy (est-ce en raison de sa disparition
prématurée ?) a évité cette sorte de récapitulation
d'un Schöneberg ou d'un Berg au terme de leur
carrière. Il s'est ainsi distingué d'autres musiciens
qui, d'abord révolutionnaires, se raccrochèrent
au passé comme pour y trouver, à l'image de
*L'Apprenti Sorcier*, le mot magique susceptible
d'endiguer les éléments que leur génie avait in-
consciemment déchaînés.

« Se limiter à un seul domaine, c'est rétrécir son
univers. » L'aphorisme de Debussy doit être pris
dans son acception la plus large. Le retour à la
nature ne fut pas seulement une source de nouveaux
sujets d'inspiration ; rien de ce qui était musical
ne lui fut étranger et surtout rien de ce qui appar-
tenait à la musique naturelle, où qu'elle se situât
dans le temps, dans l'espace. D'où son égale curiosité pour toutes les musiques exotiques et les
productions contemporaines. D'où ces analogies
*toutes fortuites* et relevées par Bartok entre des
mélodies de Debussy et de vieilles chansons de
paysans hongrois.

Les réticences de Debussy vis-à-vis de l'envahissement de la musique par la mécanique montrent assez bien la primauté qu'il entendait laisser à l'instinct et sa recherche constante de l'inanalysable.

On comprendra qu'un Webern, dont la filiation avec Debussy a été fort bien démontrée par Jean Barraqué, ait cherché une organisation aux découvertes intuitives de Debussy et qu'un Pierre Boulez ait tenté d'unir la rigueur du musicien viennois avec la sensibilité du maître de *Pelléas*.

Voilà qui donne une idée, encore bien incomplète, de la révolution opérée par un prodigieux artiste qui, à la lisière de deux mondes sonores, recueille dans sa totalité le passé pour féconder pareillement l'avenir.

Une aperception singulière, mais parfaitement compréhensible, de son message a longtemps diminué la portée de son apport. Mais, contrairement à ce que l'on a souvent écrit sur la prétendue impasse à laquelle menait Debussy, une nouvelle génération de musiciens a trouvé dans son œuvre, malgré ce qu'elle comporte de fatalement dépassé, maintes possibilités insoupçonnées de renouvellement.

« La technique naît de l'expression et elle y retourne » affirmait la grande pianiste Blanche Selva. L'interprétation de la musique de Debussy requerra en effet une technique différente de celle habituellement employée, soit qu'elle attache une importance nouvelle et toute spéciale à la pédale au piano, soit qu'elle exige du chef d'orchestre de l'initiative et une sensibilité toujours en éveil pour la mise en place des timbres, la répartition subtile des nuances et des intensités. Pour les mélodies de Debussy, comme pour la mélodie française en général, l'interprétation réclamera « une voix à travers laquelle on sente une âme et une intelligence évocatrice du climat poétique et musical » (Claire Croiza).

Une pléiade d'interprètes, en majorité féminins, (Jeanne

Raunay, Jeanne Remacle, Ninon Vallin, Jane Bathori, Claire
Croiza, Marcelle Gérar, Charles Panzéra, Pierre Bernac)
se consacrera à la défense et à l'illustration de cet art du chant
spécifiquement français.

Comme autrefois la romance, la mélodie française tentera
les maîtres étrangers. Parmi leurs mélodies sur texte français
original citons les *Trois Poèmes de Th. Gautier* de Manuel de
Falla (1908), les *Deux Proses de Pierre Loti* d'Albeniz, les
*Chansons de Clément Marot* de Georges Enesco, des mélodies
éparses de Strawinsky ou de Gretchaninoff sur des poèmes
de Baudelaire et de Verlaine.

## IV. — Autour de Debussy

Erik Satie (1866-1925) est le type achevé du
génie bohème de la « Belle Epoque ». Pianiste au
Cabaret du Chat-Noir, il intronise l'esthétique
du music-hall. Humoriste, il raille l'envahissement
de la musique par la littérature en affublant ses
pièces de piano, sans souci des convenances, de
titres et de commentaires d'un esprit froid (*Véritables Préludes flasques, Morceaux en forme de
poire, Embryons desséchés...*). Erik Satie a donné
naturellement naissance à une légende. On com-
mence seulement à mesurer son apport exact dans
l'harmonie et l'importance chronologique de ses
innovations dont Debussy, Ravel, Strawinsky
même, ont largement tiré parti. Il importe de souligner que le *Prélude pour la Porte héroïque du Ciel*
et les trois triptyques : *Sarabandes, Gymnopédies*
et *Gnossiennes*, étaient composés *avant* 1890. Se
méfiant autant de Debussy que de ses propres
extravagances, Satie, bien que muni de toutes les
récompenses du Conservatoire, s'en fut, passé la
quarantaine, réapprendre docilement son métier
à la Schola Cantorum sous la double férule de
d'Indy et de Roussel.

Par le dépouillement un peu fruste de ses der-

nières compositions et leurs intentions descriptives
qui firent alors scandale (*Parade*, 1917), Erik
Satie fut adopté comme « père spirituel » par les
Six. Il fut le premier à rompre définitivement avec
Wagner (*Socrate*, 1921). Précurseur et adversaire
de Debussy, Satie méritait d'être cité aussi longuement et en premier lieu. Sa double position historique a valu à son œuvre, malgré son élaboration
par trop incomplète, de connaître entre les deux
guerres de nombreux prolongements.

Debussy n'a pas formé à proprement parler
d'élèves. On ne saurait classer parmi ses nombreux
épigones André Caplet (1879-1925) qui fut son
ami, son disciple et son collaborateur ; il orchestra
le *Children's Corner* et la *Boîte à Joujoux* et contribua pour une grande part à l'achèvement du *Martyre de Saint-Sébastien*. Ce tempérament généreux,
à la fois pudique et sensuel, était empreint de mysticisme. Prix de Rome, sorti de la classe de Lenepveu,
André Caplet rompit bien vite avec les poncifs de
l'école officielle en adoptant le vocabulaire harmonique et instrumental de Debussy et en le poussant
souvent jusqu'en ses conséquences extrêmes. Le
*Septuor* pour cordes et cordes vocales a déjà des
sonorités proches de celles des *Petites Liturgies*
de Messiaen. Dans les *Inscriptions champêtres* pour
chœur de femmes, la *Messe à trois voix*, les *Oraisons*
et la cantate *Le Miroir de Jésus* (1924) pour chœur
d'enfants et de femmes, mezzo, harpe et cordes,
le raffinement des harmonies debussystes s'allie
dans un « art de vitrail » (F. Raugel), à la rudesse
naïve des organa de Pérotin. André Caplet se
place non loin des grands maîtres de la mélodie
avec les nombreuses pages vocales séparées (*La
Croix douloureuse*) ou en recueil (*Poèmes de
G.-H. Aubry, Ballades de Paul Fort, Poèmes de*

*Rémy de Gourmont)* qui forment la part la plus importante de sa production.

Défenseur et ami de Debussy, Désiré-Emile Inghelbrecht (né en 1880) a prouvé ses talents de chef d'orchestre (on lui doit la fondation de l'Orchestre National en 1935) et de compositeur avec le ballet *Le Diable dans le Beffroi* et la suite à quatre mains *La Nursery*.

## V. — Maurice Ravel (1875-1937)

Ravel souleva de son vivant bien des polémiques ; ses ressemblances avec Debussy le firent taxer d'imitateur. Le temps a fait justice de ces débats oiseux, tant l'art de Ravel est éloigné de celui de Debussy, malgré le recours alors plus ou moins fatal à des vocables identiques. Ravel a pu soulever à bon droit des questions de priorité concernant certaines innovations et tels autrefois Haydn et Mozart, Debussy et Ravel se seront à leur tour mutuellement fécondés par leur action réciproque.

**La vie.** — Maurice Ravel est né en 1875 à Ciboure sur la côte basque non loin de cette Espagne à laquelle il appartient à moitié par sa mère et qui tiendra une si grande place dans son inspiration. Avant même d'avoir terminé ses études au Conservatoire (sous la direction de Fauré pour la composition), Ravel publiait ses premiers essais à vingt ans ; dix années plus tard, il se voyait refuser l'entrée en loge au Concours de Rome pour lequel il se présentait pour la troisième fois. Loin d'être défavorable à Ravel, le verdict des « officiels » lui attira de nombreuses sympathies au milieu du scandale qu'il provoqua. Jusqu'à la guerre, chaque partition attendue avec intérêt suscitera des discussions passionnées.

**L'œuvre.** — Elle a vu le jour sous le signe de la régularité, se répartissant à égalité entre la voix et les instruments.

A dix-huit ans (1893), Ravel affirmait avec une audace et une ingénuité surprenantes une forte

personnalité reconnaissable à des éléments spéci-
fiques auxquels elle tendra toujours plus à se
restreindre. Au dire de ses professeurs, Ravel
enfant se délectait de l'audition répétée de la
septième majeure et de ses renversements ou de
la neuvième de seconde dont l'exécution suffit à
évoquer l'auteur de *Boléro*. Ravel visera moins à
un achèvement de sa propre perfection, comme
Debussy, qu'à un dépassement de celle-ci. De cette
attitude, la production d'entre les deux guerres ne
sera, comme nous le verrons au chapitre suivant,
qu'une précipitation imposée par l'orientation nouvelle de la musique en général.

La première période créatrice, la plus féconde
et la plus heureuse de Ravel, se partagerait en deux
décades prenant chacune leur départ au piano et
aboutissant à l'orchestre, plus précisément au ballet.

A) *Du Menuet antique* (1895) à *Daphnis* (1910).
— Ces quinze premières années sont jalonnées par
l'essentiel de l'œuvre pianistique et vocal, le
*Quatuor en fa* (1902), l'*Introduction et Allegro* pour
harpe et petit ensemble (1908), la *Rapsodie espagnole* (1907) et la comédie musicale *L'Heure espagnole* (1907).

Dans le *Menuet antique* et la *Pavane pour une
Infante défunte* (1899) résonnent des échos affaiblis
de Chabrier, de Fauré et de Satie ; ceux-ci auront
disparu dans les mélodies *Un grand Sommeil
noir* (1895), *Sainte* (1896), *Deux Epigrammes* (1898),
*Manteau de Fleurs* (1903), *Trois Chansons de
Schéhérazade* (avec orch., 1903-1905). Les *Jeux
d'Eau* sont une date dans les annales du piano :
pour évoquer le monde des jets d'eaux, des ruis-
seaux et des cascades, Ravel renouvelle la virtuosité dans ses combinaisons et par des artifices d'écriture frôle la bitonalité (1901). Rompant avec un

certain immobilisme pianistique dans lequel Debussy jusqu'à la suite *Pour le Piano* s'était maintenu, les *Jeux d'Eau* inaugurent plus qu'une
écriture : un nouveau mode d'expression au piano qui
trouvera ses premières conséquences dans les *Estampes* de Debussy et se retrouvera chez Ravel
dans les cinq pièces aux titres suggestifs *(Noctuelles, Une Barque sur l'Océan, Oiseaux tristes...)*
du recueil *Miroirs* (1906). L'harmonie prédominera
nettement sur la mélodie : les dissonances plus nombreuses évoqueront les papillons de nuit dans un
hangar *(Noctuelles)*, une barque laissée au gré des
flots *(Une Barque sur l'Océan)*, des oiseaux perdus
dans la torpeur d'une forêt tropicale *(Oiseaux tristes)*.

Mais la mélodie tend déjà à reprendre ses droits
sur l'accord *(Alborada del gracioso)*. A une délicieuse *Sonatine* (1905) archaïsante, succède le
triptyque *Gaspard de la Nuit* (1908) comparé à
une grande sonate et dont chaque volet commente
un poème d'Aloysius Bertrand. Dans ce monument
de la littérature de clavier, d'une difficulté d'exécution transcendante, Ravel allie en pleine maîtrise
romantisme et symbolisme, virtuosité et expression.

Dans la mélodie, Ravel, moins révolutionnaire
que Debussy, avait laissé la voix au premier plan.
Avec les *Histoires Naturelles* (1906), il use d'une
déclamation très particulière qu'il appelle lui-même
la « conversation en musique » ; la voix se rapproche
au maximum du parler quitte à prendre des libertés
dans la prosodie pour accentuer le ton ironique
des textes de Jules Renard. Ce recueil, où le piano
au premier plan brosse un décor suggestif, ouvre
la voie à *L'Heure espagnole*. Cet acte, composé sur
une pochade de Franc-Nohain, est un peu à l'opérette ce que *Platée* de Rameau est à l'opéra-comique.
Sa réussite inégalée tient à l'application géniale

d'une déclamation adaptée à des répliques au ton ironique et rapide et qui semblaient, comme la prose de Jules Renard, irrémédiablement rebelles à tout support musical. A ce quasi-parlando hérité en partie de l'opéra-bouffe italien et qui n'exclut pas l'insertion d'airs, de duos et d'un étourdissant quintette, l'orchestre apporte un commentaire léger et spirituel, exempt de toute faute de goût. Ravel avait déjà prouvé son étonnante maîtrise de l'orchestre dans l'accompagnement de ses chansons de *Schéhérazade* et dans la *Rapsodie espagnole* (1907) primitivement conçue pour piano à quatre mains. Ravel, comme Chabrier, repensera dans cette nouvelle langue la plupart de ses pièces de clavier. Le ballet *Daphnis et Chloé* (1907), destiné aux ballets russes, unit intimement la symphonie et la danse et s'adjoint les chœurs.

L'idéal panthéiste triomphe à travers cette partition maîtresse dont le *Lever du Jour*, le *Nocturne* et la *Bacchanale* constituent les moments les plus émouvants.

B) De *Ma Mère l'Oye* (1910) à *La Valse* (1919). — Les cinq pièces enfantines de *Ma Mère l'Oye* imposaient assez naturellement par leur destination une linéarisation qui s'accentuera avec les années. Dans les *Valses nobles et sentimentales* (1911), « la virtuosité qui faisait le fond de *Gaspard de la Nuit* cède le pas à une écriture clarifiée qui durcit l'harmonie et accuse les reliefs » (Esquisse autobiographique). Dans cette chaîne de valses imitée de Schubert, jamais les dissonances n'ont acquis chez Ravel une telle place et un tel pouvoir de séduction apparemment contradictoires. Debussy s'écriait qu'elles étaient nées de l'oreille la plus raffinée qui ait jamais existé. Jusque vers 1920, Ravel n'observe pas sans doute une démarche

absolument rectiligne. Les *Poèmes de Mallarmé*
(1913) pour voix et petit ensemble et les *Trois
Chansons* pour chœur mixte (1917) s'orientent
vers le dépouillement polyphonique et vers la
pureté du son. Mais le *Trio* (1914) pour piano et
cordes, la suite pour piano *Le Tombeau de Coupe-
rin* (1917), ultime retour aux sources de la musique
française de clavier, et le poème chorégraphique
*La Valse* (1919) reviennent à la somptuosité première.
Ravel tend alors à sortir de sa propre perfection
dont il est comme prisonnier. Avec *La Valse*, il
évoque, dans un tourbillon fantomatique et cari-
catural, les multiples aspects d'une même danse
dont l'histoire se confond avec celle de la capitale
d'un empire défunt. Mais il dit adieu d'une façon
plus profonde à un mode, à un monde d'expression
désormais révolus. Le comportement de Ravel dans
ses vingt dernières années découlera de cette prise
de conscience.

**Le style.** — Ce premier tour d'horizon (1) permet
de cerner la démarcation entre Debussy et Ravel.
A son aîné qui prône la plus entière liberté de
formes et qui vise en fait à un dépassement de
celles-ci comme de l'ordre tonal qui les a engendrées,
Ravel oppose la plus complète soumission aux
« règles » ; pour la mise en œuvre des mêmes intentions expressives, Ravel opte pour le choix préa-
lable. Les *Jeux d'Eau*, dira-t-il lui-même, « s'inscrivent quant à la construction proprement dite
dans le cadre rigoureusement observé d'un allegro
de sonate à deux thèmes sans toutefois s'assujettir
au plan tonal classique ». Le *Quatuor* — c'est encore
Ravel qui parle — « répond à une volonté de construction musicale imparfaitement réalisée mais qui

(1) Cf. suite, chap. VI, pp. 115 à 118.

apparaît plus nette encore que dans les précédentes compositions ». Elle se précisera dans *Scarbo*, parfait scherzo, *Daphnis* ordonné comme une symphonie, *L'Heure espagnole* usant à sa façon des leitmotive.

Ravel cherche moins à noyer la tonalité ou à aller au-delà d'elle qu'à en présenter ses éléments constitutifs sous un jour nouveau, si nouveau qu'il fera crier au scandale. Sur des bases harmoniques et rythmiques inflexiblement tonales, Ravel déploie une mélodie diatonique et modale soutenue par une harmonie chromatique. Cette superposition paradoxale fait de lui non seulement un nouveau classique mais un nouveau baroque. Debussy s'achemine vers la dislocation de la mélodie, Ravel se déclare « mélodiste », élabore une ligne saillante de périodicité traditionnelle, dût-elle faire abstraction des échelles admises (le mineur moderne lui sera étranger). Ravel cherche moins enfin à répandre la matière qu'à la retenir. Il s'impose des disciplines sévères, accumule les difficultés pour le plaisir de les surmonter. Chaque partition résout un nouveau problème et passe même pour une gageure. Le rythme retrouve avant Strawinsky le dynamisme qu'il avait perdu depuis plusieurs siècles. Par sa répétition de formules, la musique de Ravel acquiert déjà une valeur incantatoire. Ravel est enfin un prestigieux orchestrateur ; il use des timbres avec une rare sûreté de touche et un sens très aigu de l'effet poétique. Ravel évite aussi bien le flou que l'imprécision, il n'écrit rien qui ne puisse échapper à l'analyse. Il démontre mieux que personne qu'en art tout ce qui n'est pas nécessaire est bien inutile. Mais il laisse le chemin ouvert à la sensibilité et à l'instinct dans les limites librement consenties d'une raison classique.

## VII. — Les autres élèves de Fauré

Parmi les élèves de Fauré, comme parmi ces contemporains, Florent Schmitt fait un peu figure d'isolé.

**Florent Schmitt (1870-1958).** — Il est né à Blamont (Moselle) et mort à Neuilly-sur-Seine. Après cinq essais malheureux, le Prix de Rome vient enfin couronner en 1900 les études entreprises à Nancy et terminées à Paris dans les classes de Massenet et de Fauré. Dans cette longue carrière où les honneurs vinrent s'ajouter aux succès, on ne relèvera qu'un seul voyage en Europe et au Proche-Orient (voyage dont il est permis de croire qu'il eut ses conséquences quant au choix des sujets) et un seul séjour en province, à Lyon où Florent Schmitt dirigea le Conservatoire.

Florent Schmitt est moins une *personnalité* définissable à travers des contours mélodiques, harmoniques ou rythmiques, qu'un *tempérament* romantique, impétueux comme celui de Richard Strauss et dont le goût et la mesure ne sont pas davantage les signes distinctifs. Loin de se masquer ou de se contenir, Florent Schmitt s'épanche et s'étale. Sa fécondité touche à la prolixité. A part le drame lyrique, il n'est guère de domaine qu'il n'ait abordé. Cependant il se meut à l'étroit dans la miniature vocale ou instrumentale. Les mélodies qui retiennent le plus l'attention sont celles qui, par leurs dimensions et leurs accompagnements d'orchestre, s'apparentent à des airs d'opéras (*Tristesse au Jardin, Musiques sur l'eau*). A part la délicieuse suite à quatre mains *Une semaine du Petit Elfe Ferme-l'Œil* (1912), les meilleures pièces pour piano n'atteignent leur complète efficacité qu'à l'orchestre (*Ombres*, 1913-1917) ; le *Quin-*

*tette* (1907), le *Trio à cordes* (1945), le *Quatuor* (1948)
débordent du cadre de la musique de chambre.

Florent Schmitt est par nature un symphoniste
comme Berlioz avec qui il présente de nombreux
liens de parenté spirituelle. De la cantate de Rome
*Sémiramis* (1900) à la *Deuxième Symphonie* (1958),
l'orchestration a gardé la même opulence sans
confusion ni lourdeur. Que ce soit au concert
(*Antoine et Cléopâtre*, 1920), au cinéma (*Salammbô*,
1925) ou au théâtre (*Tragédie de Salomé*, « drame
muet », 1910), Florent Schmitt se complaît à brasser
les masses vocales et instrumentales pour traiter
de sujets romantiques ou antiques où la violence
et le conflit des passions se déchaînent sur un décor
somptueux de préférence oriental. *Oriane et le Prince
d'Amour* (1934) avec ses interventions de soli et
de chœurs hésite entre le ballet et l'opéra. Après
le *Prométhée* de Fauré, se place le *Psaume 104*, im-
pressionnant par sa puissance de conception comme
par sa mise en œuvre (1904).

Florent Schmitt pouvait passer au début du
XXᵉ siècle sinon pour un révolutionnaire, du moins
pour un rénovateur capable d'inciter la musique
à s'engager dans une certaine voie en lui impulsant
une énergie nouvelle. Ravel s'est souvenu du
*Quintette* dans son *Trio*, Lili Boulanger du *Psaume*
dans sa musique religieuse. Mais, après avoir fait
retentir les accents grandioses et insolites du
*Psaume*, les épanchements passionnés, brûlants
de fièvre et de soleil, de *Salomé*, Florent Schmitt
s'est maintenu dans un certain éclectisme. Malgré
des modernismes d'une portée contestable et des
emprunts plus ou moins déguisés à Strawinsky,
son style ne s'est guère sensiblement modifié. Il
est vrai qu'il ne s'était pas élaboré du premier
coup : l'élève de Fauré et de Massenet hésita long-

temps entre les diverses tendances, les multiples courants qui le sollicitaient. La révélation de Debussy — ce Debussy dont il préfigura plus ou moins la venue dans certaines pièces de piano (*Soirs*) — semble avoir été décisive. Florent Schmitt fut un romantique accordé à son temps et qui s'est efforcé à plusieurs reprises (*Suite en rocaille*, 1934 ; *Sonate en trio*, 1935) d'insérer une pensée classique dans un cadre volontairement archaïque ou traditionnel.

Les autres élèves de Fauré ont tous plus ou moins consciemment cherché à unir les acquisitions debussystes et fauréennes. Henri Büsser (né en 1872) s'est fait connaître comme compositeur, chef d'orchestre et restituteur de partitions anciennes. On lui doit en outre l'orchestration de la *Petite Suite* de Debussy et la mise à jour d'ouvrages peu connus d'auteurs du XIX<sup>e</sup> siècle. Roger-Ducasse (1874-1954), qui fut l'élève préféré de Fauré, enseigna la composition au Conservatoire après avoir été inspecteur de l'Enseignement musical. On lui doit deux poèmes symphoniques (*Nocturne de Printemps, Ulysse et les Sirènes*), des chœurs (*Sarabande, Sérénade de Molière*), un ballet-mimodrame (*Orphée*), une cantate (*Au Jardin de Marguerite*), des pièces de piano et de musique de chambre. Louis Aubert (né en 1877) fut un distingué pianiste. Il créa les *Valses nobles et sentimentales* de Ravel. Il est l'auteur de trois poèmes symphoniques (*Habanera, Le Tombeau de Chateaubriand, Offrandes*), d'un ballet (*Cinéma*) et de nombreuses mélodies (*Poèmes arabes*), et pièces pour piano (*Sillages*). Avec sa suite *En Kerneo*, Louis Vuillemin (1879-1929) se relie au folklorisme d'un Ropartz ou d'un Déodat de Séverac ainsi que Paul Ladmirault (1877-1944), lui aussi chantre de la Bretagne, à travers un ballet (*La Prêtresse de Koridwen*) et diverses compositions instrumentales (*Variations sur un air de biniou*) ou vocales.

André Messager (1853-1929) peut être rapproché de Fauré pour sa formation et ses affinités communes. Cet excellent musicien doit le meilleur de sa science à Saint-Saëns. Avec *La Basoche* (1890), *Les P'tites Michu* (1897), *Véronique* (1898) et *Monsieur Beaucaire* (1918), il a apporté à la musique légère ses lettres de noblesse. Son exemple aura été bienfaisant pour les compositeurs d'opérettes, attirant leur attention sur l'harmonie et l'orchestration qu'ils négligeaient trop souvent

et d'autant plus volontiers que leur public était d'un niveau
musical extrêmement faible. Une même élégance naturelle,
une même aisance dans le maniement des voix et des instruments se retrouveront dans *Le Sire de Vergy* (1903) et
*Le Mariage de Télémaque* (1910) de Claude Terrasse (1867-
1923), *Carmosine* (1912), *Gismonda* (1918) d'Henry Février
(1875-1957).

## VIII. — Condisciples et élèves de d'Indy

Malgré une parenté évidente de style avec d'Indy et ses
condisciples, Charles Bordes (1863-1909), déjà cité, donnait
à travers deux recueils de mélodies et des pièces instrumentales
de caractère folklorique *(Caprice à cinq temps, Suite basque)*
les signes d'une personnalité un peu semblable à celle de Bizet
et qui n'a pu s'épanouir au cours d'une trop brève existence
entièrement consacrée à l'apostolat musical. Pierre de Bréville (1861-1949) succéda à d'Indy et à Fauré à la présidence
de la Société Nationale de Musique. Il hérita de son maître
César Franck le culte des formes sérieuses vocales et instrumentales qu'il transmit à son tour au poète Tristan Klingsor
(né en 1875), auteur de pièces vocales et de musique de chambre d'un esprit très français et pour la plupart demeurées
inédites. Sylvio Lazzari (1857-1944), d'origine tyrolienne, était
doué d'un tempérament dramatique indubitable *(La Lépreuse,
Le Sauteriot, La Tour de Feu)*. A des échos de Debussy ont
fait place notamment dans sa musique de chambre et dans ses
mélodies *(Le Cavalier d'Olmedo)*, ceux de la monodie populaire bretonne et étrangère. Guy Ropartz (1864-1955), qui
hésita dans sa jeunesse entre la poésie et la composition, ne
s'est pas contenté d'« emprunter » au folklore de sa Bretagne
natale. Il n'a cessé d'en traduire l'incurable mélancolie dans
un opéra *Le Pays*, un ballet *(Prélude dominical et Six Pièces
à danser)*, quatre symphonies dont la première sur un choral
breton, des morceaux d'orgue et de nombreuses pages de
musique de chambre *(Prélude, Marine et Chanson*, 5 quatuors).
Il en fut de même de Paul Le Flem (né en 1880), l'auteur du
*Rossignol de Saint-Malo*, qui dirigea après Charles Bordes les
Chanteurs de Saint-Gervais. Georges-Martin de Witkowsky
(1867-1943) fut à Lyon entre les deux guerres un aussi remarquable animateur de la vie musicale que Guy Ropartz à
Nancy et Strasbourg. On lui doit un opéra *(La Princesse loin-
taine)*, une cantate *(Le Poème de la Maison)* et des variations
symphoniques avec piano *(Mon Lac)*. Jean Cras (1879-1932),
de son métier officier de marine, a tenté d'allier la plénitude

émotionnelle de son maître Henri Duparc avec les subtilités harmoniques de Debussy, dans un opéra *(Polyphème)*, des recueils de mélodies *(La Flûte de Pan)*, un quatuor, un trio à cordes, un concerto de piano. Gustave Samazeuilh (né en 1877) n'a cessé de défendre dans ses compositions *(Le Chant de la Mer, Quatuor)* comme dans ses chroniques l'idéal esthétique de son professeur Ernest Chausson.

Parmi les disciples de d'Indy, en dehors d'Albert Roussel dont il sera plus longuement question au dernier chapitre, citons d'abord Albéric Magnard (1865-1914), tragiquement disparu dans les premiers jours de la Grande Guerre. Cet artiste épris d'idéal — l'*Hymne à la Justice* fut inspiré par l'Affaire Dreyfus — a subi à égalité les emprises de Franck et de Wagner dans ses quatre *Symphonies*, ses *Sonates* de violon et de violoncelle, son *Quintette à Vent*, son *Quatuor*, ses drames lyriques *Bérénice* et *Guercœur*. On accordera une place à part à deux autres élèves qui, à l'exemple de d'Indy et de L.-A. Bourgault-Ducoudray (1840-1910), ont porté leurs efforts en direction de la chanson populaire. Il s'agit de Joseph-Marie Déodat de Séverac (1873-1921) qui, aussitôt ses études terminées à la Schola, se fixa en Cerdagne à Céret. Il s'inspira des tableaux et scènes de la vie rustique dans ses nombreux cahiers pour piano *(En Languedoc, Cerdana, Le Chant de la Terre, Baigneuses au Soleil)*, où se rejoignent Albeniz, Bordes et Debussy. A Joseph Canteloube de Malaret (1879-1955), auteur d'un opéra, *Le Mas*, on doit une remarquable *Anthologie de la Chanson populaire française*.

Louis Vierne (1870-1937), sans avoir directement étudié la composition avec d'Indy ou Franck, se rattache à la même famille spirituelle. Le chromatisme expressif de Franck, la solidité et la clarté architecturale de Widor se complètent heureusement dans ses six *Symphonies* et *Pièces de Fantaisie*, pour orgue, ses *Préludes* pour piano, son *Quintette* et ses *Sonates* de violon et de violoncelle. Sa littérature d'orgue domine cette production abondante et constitue un véritable monument élevé à la gloire de l'orgue romantique de concert.

Paul Dukas semblait au départ se relier à Franck et à d'Indy. Sa rencontre avec Debussy l'aura fait s'écarter en partie de cette voie. Ce créateur indépendant de grande classe qui fut aussi un éminent pédagogue aura influencé plus particulièrement la nouvelle génération.

CHRIST'S COLLEGE

## IX. — Paul Dukas (1865-1935)

Après être sorti du Conservatoire, Paul Dukas, avant d'aborder la composition, se replongea dans l'étude et la méditation. Censeur aussi impitoyable envers lui-même que Duparc ou Manuel de Falla, les quelques partitions qu'il publie à partir de 1892 le laissent insatisfait. Après 1910, il ne se consacre plus qu'à l'enseignement, ne compose que de courts hommages de circonstances et ne rédige plus d'articles que pour honorer la mémoire de ses contemporains. Cet artiste scrupuleux dont tant de musiciens ont reçu une formation exemplaire (Jehan Alain, Claude Arrieu, Tony Aubin, Elsa Barraine, Maurice Duruflé, Georges Favre, Georges Hugon, Jean Langlais, Olivier Messiaen...) se doublait d'un critique averti et lucide qui contribua plus qu'aucun autre à éduquer et éclairer le public.

Il est malaisé de relier l'œuvre de Dukas, si on la considère dans sa totalité, à une esthétique déterminée. L'ouverture de *Polyeucte* (1892) et la *Symphonie en ut* (1896) se rangent sous la bannière du franckisme et du symbolisme wagnérien. Les mêmes attaches se retrouvent avec des emprunts à Debussy et une maîtrise plus grande encore de la forme et de l'orchestre dans *L'Apprenti Sorcier* (1897), éblouissante et géniale féerie sonore qui établit du premier coup la réputation universelle de son auteur. La *Sonate en mi bémol mineur* (1900) est une stèle gigantesque élévée à Beethoven et les *Variations, Interlude et Final sur un thème de Rameau* (1901) un hommage non moins imposant à la grâce et à la grandeur françaises. Les problèmes du théâtre préoccupent particulièrement Paul Dukas comme en témoignent à la fois les

nombreux articles consacrés à l'art lyrique et les
essais demeurés sans lendemain. Le seul ouvrage
représenté, *Ariane et Barbe-Bleue* (1907), compte
parmi les grandes réussites de l'opéra français dans
le double prolongement de Wagner et de Debussy.
Le poème dansé *La Péri* (1912) s'inscrit pareillement aux côtés de *Jeux* et de *Daphnis* parmi les
pages maîtresses inspirées des conceptions de
Diaghilev, union parfaite de la symphonie et de la
danse.

Paul Dukas est resté profondément enraciné
dans le romantisme germanique. Mais il échafaude
les architectures les plus savantes avec une souplesse et un coloris qu'il tient de Debussy et de
Berlioz. *L'Apprenti Sorcier* suit fidèlement les
péripéties de la ballade de Gœthe dans le cadre
dûment respecté d'un scherzo ; *La Péri* témoigne
d'un art consommé de la variation, le premier acte
d'*Ariane et Barbe-Bleue* est un modèle de construction dramatique.

Paul Dukas, architecte éprouvé, est, contrairement à Debussy, un rhéteur ; l'atmosphère et la
déclamation de son opéra sont à peine différentes
de celles de *Pelléas*, mais les « thèmes-pivots » servent
de points de départ à de véritables développements
symphoniques. La solidité du métier ne saurait
faire oublier cependant les dons de mélodiste, de
coloriste, d'humoriste — le motif du balai confié
aux bassons chante dans toutes les mémoires —, et
un sens, plus contesté mais aussi réel, de l'émotion.
La cinquième variation, l'andante de la *Sonate*,
les chœurs et le chant souterrain au premier acte
d'*Ariane*, l'aopthéose de *La Péri* montrent assez
jusqu'où a pu s'élever Paul Dukas lorsque les différentes tendances qui le tiraillaient ont réussi à
s'unir.

## X. — Esprits traditionalistes
### et créateurs indépendants

Pour terminer ce tour d'horizon de la musique française
à l'aube du XX<sup>e</sup> siècle, nous mentionnerons quelques petits
maîtres aux mérites inégaux. La plupart furent élèves de
Massenet et de Delibes et, pour cette raison sans doute, se
sont plus particulièrement tournés vers le théâtre.

Alfred Bruneau (1857-1934) est allé plus loin que Bizet en por-
tant à la scène des personnages pris dans la réalité quotidienne.
*Messidor, L'Ouragan, L'Enfant Roi*, composés sur des livrets
de Zola, *Le Rêve, L'Attaque du Moulin*, inspirés de romans du
même écrivain, ont beaucoup vieilli ; leurs combinaisons harmoniques ou orchestrales quelque peu byzantines rachètent diffi-
cilement une mélodie d'un goût douteux ; elles sont moins le
fruit d'une sensibilité originale que d'une recherche, estimable
pour l'époque, mais néanmoins forcée. Leur exemple a eu pour
lendemain : *Louise* (1900) de Gustave Charpentier (1860-1956),
le symphoniste applaudi des *Impressions d'Italie*. Il serait injuste de rapprocher des improvisations véristes un opéra aussi
soigneusement mûri et élaboré. Maintes pages d'une vérité
certaine lui ont permis de rester à l'affiche, malgré l'inspiration
discutable et une fâcheuse littérature. A ce courant naturaliste
se rattachent *Le Carillonneur, Le Chemineau* de Xavier Le-
roux (1863-1918) ; *Le Juif polonais, L'Aube rouge* de Camille
Erlanger (1863-1919) dont *L'Aphrodite* connut un vif succès ;
*Scemo, Quand la Cloche sonnera* d'Alfred Bachelet (1864-1944)...

Quelques musiciens ont affiné leur style au contact de Fauré
et de Debussy, plus particulièrement ceux dont les opéras
n'ont pas survécu, mais dont certaines mélodies conservent
de l'intérêt : ainsi des *Croquis d'Orient* de Georges Hüe (1858-
1943), l'auteur du *Miracle*, de *Riquet à la Houppe*, de *Rubezahl*
et d'*A l'Ombre de la Cathédrale*..., des *Chansons de Miarka*
d'Alexandre Georges (1850-1938), l'auteur de *Sangre y Sol*...,
des *Vieilles de chez nous* de Charles Levadé (1869-1948), l'auteur
de *La Peau de Chagrin* et de *La Rôtisserie de la Reine Pédauque*.

Henri Rabaud (1873-1949) succéda à Fauré à la direction du
Conservatoire. Il avait été d'abord violoncelliste, puis chef
d'orchestre. Le compositeur de *Mârouf, savetier du Caire*, de
l'oratorio *Job* et d'un poème symphonique *Procession Nocturne*,
fut un ardent propagateur de Wagner. Reynaldo Hahn (1875-
1946) joignait à une culture étendue une facilité mélodique
semblable à celle de son maître Massenet et dont il n'a pas
toujours su se défendre. Elle explique la réussite et le succès de l'opérette *Ciboulette*, du *Bal de Béatrice d'Este*, des

*Chansons grises, Etudes latines, Rondels, Feuilles blessées...*
et autres mélodies qui réalisent avec la romance un heureux
compromis sans envergure. Ce chanteur de talent était aussi
un critique acerbe et spirituel. Raoul Laparra (1876-1943),
autre élève de Massenet, fréquenta pour un temps la classe
de Fauré. D'ascendance espagnole, il a manifesté comme
compositeur et musicographe un intérêt constant pour le
pays de ses ancêtres qu'il a évoqué dans des drames *(La Habanera)* et zarzuelas *(L'illustre Fregona)* imprégnés de vérisme.
Gabriel Dupont (1879-1914) fut exagérément tenu de son
vivant pour un « second Bizet » ! Cet élève de Widor s'est aussi
inspiré des véristes dans *La Glu* et *La Cabrera* plus que dans
*Antar* ou *La Farce du Cuvier*. Il a subi le charme de Massenet et de Debussy dans ses mélodies *(Le Foyer, Les effarés,
Poèmes d'Automne)*, pièces pour piano *(Les Heures dolentes,
La Maison dans les Dunes)* et de musique de chambre *(Poème
pour quintette)*. C'est là qu'il a donné les meilleures preuves
d'un tempérament robuste et sincère qui n'a pu complètement
s'épanouir. L'essentiel de la production de René Lenormand
(1846-1932) est constitué par deux cents mélodies qui s'éche-
lonnent sur une carrière également jalonnée par des œuvres
de piano, d'orchestre et de musique de chambre. Cet animateur
de la Société Nationale de Musique, lecteur des éditions
Hamelle, sut préserver sa propre personnalité en se montrant
ouvert à tous les courants depuis Lalo jusqu'à Debussy. En
témoigne son *Etude sur l'Harmonie moderne*. Dans ses dernières mélodies composées sur des poèmes orientaux, il pré-
figurait un peu le Roussel des *Poèmes chinois*. Lili Boulanger (1893-1918) fut la première femme Prix de Rome.
Elle obtint la récompense en 1913 la même année que Claude
Delvincourt. Sœur cadette de Nadia Boulanger, elle se montra
parfaitement indépendante dans ses disciplines esthétiques.
Il y a des pages quasi géniales dans sa cantate *Faust et Hélène* ;
*Du Fond de l'Abîme* et les autres psaumes laissent entrevoir
les oratorios d'Honegger par leur force d'accent peu commune
et singulière sous la plume d'une jeune fille promue aux plus
hautes destinées. Jean Huré (1877-1930) ne se rattache pas
davantage à la moindre « école », au moindre « clan ». Successeur de Gigout à l'orgue de Saint-Augustin, il a contribué entre
les deux guerres, comme théoricien *(Technique de l'orgue ;
L'Esthétique de l'orgue)* et conférencier, à la transformation et
à l'enrichissement de l'orgue. Sa production essentiellement
instrumentale comprend quelques pièces d'orgue *(Communion
sur un Noël)* des sonates pour piano, pour violon et pour violoncelle, deux quatuors, un quintette et un ballet *Au bois Sacré*.

# Chapitre VI

# SURVIVANTS OU CONTINUATEURS ?
# (1919-1939)

A la veille du premier conflit mondial, Schöneberg avec le *Pierrot lunaire* (1911), Strawinsky avec *Le Sacre du Printemps* (1913) — créé à Paris —, Bartok, Prokofiev... ouvraient à la musique des voies nouvelles.

Entre 1919 et 1939, Paris demeurait un important centre d'attraction musicale. Mais avec la disparition de Debussy (1918) presque aussitôt suivie de celles de Fauré (1924) et de Caplet (1925), la crise de Ravel, l'effacement de Florent Schmitt, le déclin de d'Indy, le silence de Dukas..., la prédominance française *sur le plan de la création* cessait. Et cela en dépit des réussites esthétiques, souvent de haute tenue, de Ravel, de Schmitt, de Roussel, de Maurice Emmanuel ou de leurs cadets appartenant ou non au « Groupe des Six ». Le puissant souffle novateur qui traversait la France au temps de *Pelléas* allait désormais s'emparer de l'Europe centrale.

La guerre de 1914-1918 provoqua une rupture d'équilibre : une crise générale, économique, spirituelle et morale s'ensuivit qui affecta l'Europe occidentale. Elle se traduisit dans la littérature, comme dans les arts, par un rejet souvent spectaculaire des valeurs antérieures et une attitude

négative et trouble qui s'exprima à travers le
dadaïsme et le surréalisme. En musique, le retour
à la mélodie, au contrepoint, aux architectures
apparentes, aux rythmes incisifs, l'harmonie ces-
sant d'être la préoccupation dominante, l'absence
de toute « séduction » étaient en contradiction avec
les langueurs debussystes, les tiédeurs crépus-
culaires fauréennes, les harmonies voluptueuses
et nonchalantes de Ravel... » Les profondes modifications apportées... à la vie sociale, les change-
ments survenus dans les mœurs, l'énergie remise
à l'honneur, allant parfois jusqu'à la brutalité,
l'évolution des arts plastiques, l'invasion du machi-
nisme, tout cela commandait à la musique une
orientation nouvelle », écrivait Albert Roussel
qui se demandait si « le fait que les compositions
à programme, les poèmes symphoniques descrip-
tifs soient de plus en plus abandonnés pour les
formes classiques où règne seule la musique, devait
être interprété comme un signe que cette musique
allait être inexpressive ou indifférente ». Jusque
vers 1930 a triomphé il est vrai une musique pure
et désincarnée analogue par ses spéculations à la
poésie mathématique de Paul Valéry. Arthur Honegger ne verra dans le culte de la sonate qu'un « geste
esthétique » ; Strawinsky après 1920 tiendra la
musique pour « impuissante à exprimer quoi que
ce soit ». Mais vers 1930 la tendance sera à une
nouvelle humanisation. Le groupe « Jeune-France »
(Messiaen, Baudrier, Jolivet) entendra « ne se satis-
faire que de sincérité, de générosité et de conscience
critique ». Le désir se fait de nouveau sentir de
communier avec un nouvel et plus vaste auditoire. « Nous réclamons écrit Maurice Jaubert,
une musique populaire et, contrairement aux apparences, nous ne pensons pas ouvrir ainsi une voie

facile. Car la vraie difficulté — et le vrai courage —
ne consiste pas à se cacher derrière le mystère de la
lettre, mais à retrouver la musique dans sa plus
stricte nudité pour s'efforcer de lui redonner le
sens du chant humain et si possible collectif. »
Une telle démarche trouvera plus particulièrement
sa justification à l'époque du Front Populaire
(1936-1939).

## I. — Du salon au concert

Les salons disparaissent de la vie musicale ; le piano cesse
de faire partie du mobilier bourgeois ; la radio et le disque lui
porteront le coup de grâce ainsi que la participation croissante aux études universitaires des jeunes filles bourgeoises
qui trouvaient auparavant dans leur semi-oisiveté le loisir de
se consacrer à la musique. La littérature du piano seul ou à
quatre mains — les originaux comme les transcriptions —,
les trios, quatuors et quintettes pour piano et cordes dont la
floraison était étroitement liée à cette existence des salons
et à cette pratique amateur se raréfient. En revanche, la
musique à deux pianos réservée plutôt à des professeurs ou à
des virtuoses se maintient ; le concerto bénéficie d'un regain
de faveur ; la musique de chambre s'accroît d'un répertoire
de concert que son abord ardu destine davantage à des professionnels ou à des ensembles inédits (Trio Pasquier, Quintette
Jamet).

Dans la mélodie, les aînés se réduisent au silence, ne produisent plus que des pièces éparses et inférieures, ou s'efforcent plus ou moins de se renouveler. L'*Ode à un jeune Gentilhomme* de Roussel, les *Chansons du Valet de Cœur* de Georges
Hüe (1912), les *Trois Mélodies* (1916), les *Ludions* (1918)
de Satie, de dimensions réduites, affichaient des ambitions
expressives plus modestes.

Depuis *L'Horizon chimérique* (1922) de Fauré, *La Cloche
fêlée*, *La Mort des Pauvres* (1924) de Caplet, la mélodie française a perdu en densité et en profondeur ce qu'elle a gardé,
peut-être même gagné en finesse, quels que soient les mérites
de l'œuvre vocal original et substantiel de Roussel ou de
Poulenc et de quelques réussites isolées d'Auric, Durey, Jaubert, Honegger, Milhaud et quelques autres. Des musiciens
ont cherché à adapter sur une poésie toujours choisie avec
discernement une mélodie d'allure sinon d'essence populaire.

La primauté redonnée à la ligne mélodique devait inciter à un nouvel intérêt pour les chants folkloriques ; il s'agissait moins de les parer d'harmonisations intelligentes et sensibles que de s'en approprier les éléments formels caractéristiques. On ajoutera un penchant nouveau et insolite pour la chanson de music-hall et de variétés à laquelle les mélodistes, comme les compositeurs en général, étaient restés jusqu'à présent plutôt étrangers. Le cinéma allait pousser à l'élaboration de ce nouveau genre vocal appelé depuis la « chanson littéraire » et dont les origines ont été en partie étrangères. Les chansons de Prévert et Kosma ont pris leur départ dans *L'Opéra de Quat' sous*, *Marie Galante* (musique de scène pour une pièce française de Jack Deval) de Kurt Weil (1). Sans puiser à une telle source, les trois chansons de *Don Quichotte à Dulcinée* (1932) de Ravel s'inscrivent déjà dans cet ordre d'idée : on ne doit pas oublier qu'elles ont été *conçues* pour un film, peu importe qu'elles n'y aient pas figuré.

Toujours dans ce passage du salon au concert, les petites compositions chorales de chambre s'effacent complètement devant les chœurs avec ou sans orchestre. La polyphonie *a capella* s'augmente encore sous la plume de Ropartz, de Schmitt, de Pierre de Bréville de quelques pages d'une difficulté d'exécution qui les rend accessibles aux formations professionnelles, les seules existantes ou presque jusque vers 1935. Il en va un peu différemment des chœurs d'hommes écrits à l'intention des sociétés d'amateurs survivant dans le Nord et dans l'Est. Mais le renouveau déjà ancien de la polyphonie *a capella*, le collectage et la mise en valeur du chant populaire aboutissent à la résurrection de l'harmonisation pour chœur. Après Maurice Emmanuel (*M'y allant promener*, nº XXIX des « Chansons bourguignonnes »), Roger-Ducasse et surtout Vincent d'Indy à la fin de sa vie se font les promoteurs de cette renaissance, même si leurs harmonisations nous semblent aujourd'hui pleines de sous-entendus peu compatibles avec la simplicité directe du chant populaire. Les *Six Chansons du Bourbonnais* de Ropartz (1934) font preuve d'une meilleure compréhension, ainsi que les nombreuses harmonisations à voix mixtes ou égales de Ladmirault, Koechlin et Canteloube. Cette littérature a eu une brillante postérité.

On assiste paradoxalement entre les deux guerres à un intérêt renouvelé pour l'oratorio et les formes analogues, alors

---

(1) Il est aussi intéressant de noter que Kurt Weil et ses émules — Eisler, Paul Dessau... — ont été en partie inspirés par certaines chansons de rue françaises.

que la programmation de ces sortes d'œuvres devient de plus en plus onéreuse, les possibilités d'exécution sont encore plus réduites du fait que les chorales sont toujours peu nombreuses. En créant et animant les « Fêtes du Peuple », Albert Doyen incite certes les compositeurs à écrire pour les chœurs mais il s'attache surtout à répandre le goût de la musique dans les couches les plus larges. L'année même qu'il disparaît (1935), se constitue, comme pour continuer son œuvre, la Fédération Musicale Populaire, sur une double initiative de Romain Rolland et de Paul Vaillant-Couturier. Cette organisation de culture populaire, comme beaucoup d'autres, vient à son heure pour coordonner les initiatives qui naissent spontanément parmi les masses ouvrières ; celle-ci viennent de conquérir de substantiels avantages sociaux après de longues luttes revendicatives. A son tour la F.M.P. suscite l'éclosion de nouvelles chorales et entraîne dans son action les plus grands musiciens. Roussel et Koechlin en assumeront tour à tour la présidence. Si le premier disparaît avant d'avoir entrepris le grand opéra populaire qu'il projetait sur *Charles le Téméraire*, Koechlin compose pour les chorales d'amateurs des harmonisations et des chants de lutte *(Libérons Thaelmann)*.

A l'église, les difficultés matérielles s'opposant à l'exécution d'œuvres pour chœur et orchestre se font également sentir. D'où l'abondance de motets et de messes à deux et trois voix avec orgue. Leur conception, plus propice à l'expression d'un sentiment intime, s'imposera si bien que, par exemple, le *Requiem* (1934) ou le *Psaume 129* (1941) de Ropartz, écrits pour soli, chœurs et orchestre, supportent fort bien la réduction à l'orgue ; celle-ci passerait même pour une version originale.

Quant aux associations de concerts symphoniques, elles se heurtent pareillement à des obstacles matériels. Elles ne connaissent plus la même activité malgré une attention plus grande portée à la symphonie, à la suite ou au concerto au détriment du poème symphonique. Celui-ci ne se renouvelle que passagèrement avec *Rugby*, *Pacific 231* d'Honegger, reflets symptômatiques de cet après-guerre avide de technique et de performances sportives. Cette situation favorise par contre l'essor de l'orchestre de chambre. Peu nombreuses étaient jusqu'alors les compositions réellement pensées pour de petits ensembles ; elles faisaient appel à des formations réduites par souci d'archaïsme ou de pittoresque, mais très souvent, elles n'étaient que des réductions de pages symphoniques. Tous les efforts tentés en vue d'une formation plus allégée que celle généralement admise n'avaient donc pas abouti en France à la création d'un style « orchestre de chambre ». Cette réforme devait être l'œuvre de Schöneberg et de Strawinsky. Après 1920, non seulement les conditions financières, mais aussi l'exemple du jazz pousseront à l'économie, à l'emploi maximum des possibilités de chaque instrument. Le cinéma et la radio où l'équilibre sonore obéit à la mise en ondes, allaient favoriser aussi l'usage des petits ensembles. L'orchestre de chambre de Paris et l'Ensemble féminin Jane Evrard seront les dédicataires ou inspirateurs de la plupart des compositions pour orchestre de chambre d'entre les deux guerres.

La qualité et le nombre des instruments à vent français ne cessent de grandir et établissent définitivement leur réputation mondiale. On soulignera en passant le développement (Garde républicaine) ou la naissance de formations d'harmonie capables d'exécuter et d'inspirer autre chose que des marches plus ou moins militaires. Roussel et Koechlin leur prêteront attention. Mais les manifestations publiques régulières plus restreintes que celles des orchestres symphoniques, la survivance routinière de la notation transpositrice et certain préjugé défavorable expliquent que le répertoire de l'orchestre d'harmonie se soit moins accru qu'on aurait pu l'espérer.

## II. — Du théâtre au cinéma

La crise que traverse le théâtre lyrique est due au cinéma dont la diffusion et l'expression plus conformes à la sensibilité moderne font un art encore plus populaire. Ne s'introduit-il pas à l'Opéra même dans *La Tour de Feu* de Sylvio Lazzari (1928) ? L'opérette, en raison de son public même, est plus détrônée encore par le « septième art ». Par de regrettables concessions, elle s'efforce de résister à la concurrence nouvelle et dangereuse des productions américaines et hungaroviennoises de Lehar, Kreisler et Kalman (1). Après Messager, Reynaldo Hahn, Pierné et Henri Christiné (1861-1941), l'auteur de *Phi-Phi* (1918), seuls Maurice Yvain et Louis Beydts se consacrent entièrement à l'opérette, abordée incidemment par d'Indy (*Le Rêve de Cyniras*, 1927), Henri Büsser (*La Pie borgne*, 1929), Roger-Ducasse (*Cantegril*, 1934) et Albert Roussel (*Le Testament de la Tante Caroline*, 1936). Le public, peu renouvelé, demeure réticent à toute innovation. Beaucoup d'ouvrages de valeur ont vu le jour trop tard. Parmi

---

(1) Quelques-unes étaient déjà apparues en France avant la guerre comme *La Veuve joyeuse* de F. Lehar.

ceux qui sont réellement postérieurs à 1920 par leur composition, il n'en demeure guère au répertoire.

Mais le ballet, lui, conserve tout son éclat. Après une brève interruption, les Ballets Russes, auxquels s'ajoutent les Ballets Suédois et d'autres nouvelles troupes, reprennent leurs activités. Cependant, dans le même esprit qui préside à la réhabilitation des formes classiques au concert, Diaghilev remet à l'honneur les successions de danses abstraites abandonnées depuis le XVIII^e siècle.

Quant au cinéma, il avait exigé dès ses débuts un accompagnement musical. Ainsi Gaston Paulin improvisait au piano un fond sonore pour les pantomimes lumineuses d'Émile Reynaud. Le « film d'art », apparenté au théâtre, nourrissait de grandes ambitions en voulant porter à l'écran des scènes historiques ou mythologiques, avec le concours des plus grandes sommités artistiques ou littéraires. Pour la musique, il en appelait à des membres de l'Institut ! Comme si le « septième art » à peine sorti de ses langes demandait à des hommes du passé de parrainer son avenir ! En 1908, Saint-Saëns composait une partition pour l'*Assassinat du Duc de Guise* réalisé sur un scénario d'Henri Lavedan et interprété par Le Bargy de la Comédie-Française. La même année Georges Hüe collaborait au *Retour d'Ulysse* tourné sur un canevas de Jules Lemaître... Mais le film d'art vit ses prétentions vite rabattues et cessa ses activités au bout de six mois après avoir fait école à l'étranger. A partir des années 1920, les grands films sont l'occasion de faire appel à des « symphonistes consacrés » ; Henri Rabaud (*Le Miracle des Loups*, 1924 ; *Le Joueur d'Echecs*, 1925), Erik Satie (*Entracte*, 1924), Paul Ladmirault (*La Brière*, 1926) ou Florent Schmitt (*Salammbô*, 1925) composent des musiques d'accompagnement. Après l'apparition du parlant, ces mêmes musiciens contribueront à l'élaboration d'un art musical cinématographique, parallèlement à Maurice Jaubert et à Arthur Honegger (1).

Ces énumérations, malgré leur sécheresse, donnent une idée de l'état de crise dans lequel se débat la musique entre les deux guerres, pendant cette période où Ravel et d'autres musiciens de la même génération ont continué de produire. Il ne sera question que de ceux-là dans ce dernier chapitre (2).

---

(1) Plus tardive sera l'apparition d'un art musical radiophonique dont les problèmes auront préoccupé davantage au départ les étrangers. Notons cependant une partition de valeur de Roussel : *Elpénor* (1935).

(2) Cf. Cl. ROSTAND, *op. cit.*

### III. — Maurice Ravel *(suite)*

Après une demi-interruption due à la guerre
pendant laquelle il avait combattu au front comme
engagé volontaire, Ravel reprend son activité
créatrice, partageant son temps entre Paris et
Montfort-l'Amaury. Il est accueilli triomphalement
à l'étranger et considéré comme le nouveau chef
de file de l'école française depuis la mort de Debussy.
Mais parce qu'il est le plus prestigieux survivant
de sa génération, il est plus particulièrement en
butte aux attaques de ses cadets. Or, ceux-ci
s'engagent plus résolument dans la voie ouverte
par Ravel lui-même. Au faîte de sa gloire, Ravel,
malgré son indifférence apparente, se sent un peu
dépassé. Ce n'est pas seulement par ironie qu'il
déclare qu'on a assez entendu de Ravel ! Le drame
qui se déclenche alors chez cet homme mûr prendra
un relief particulier avec les premières atteintes
de la maladie qui, avant de l'emporter, le condamnera peu à peu au silence.

En douze ans, Ravel publie une *Sonate en Duo*
pour violon et violoncelle (1920-1922), une rapsodie
de concert pour violon, *Tzigane* (1927), deux mélodies : *Ronsard à son âme* (1924) et *Rêves* (1927),
les *Chansons madécasses* pour voix et instruments
(1928), une fantaisie lyrique : *L'Enfant et les Sortilèges* (1925), une *Sonate pour violon et piano* (1927),
le *Boléro* pour orchestre (1928), deux *Concerti* pour
piano dont un pour la main gauche seule (1930-
1931) ; enfin trois chansons de film déjà citées
(*Don Quichotte à Dulcinée*, 1932). On ajoutera pour
être complet une orchestration très réussie des
*Tableaux d'une Exposition* de Moussorgsky (1922).

Selon Ravel lui-même, la *Sonate en Duo* marque
un tournant. « Le dépouillement y est extrême ;

le renoncement au charme harmonique et la réaction de plus en plus marquée dans le sens de la mélodie. » Dans *Rêves* et *Ronsard à son âme*, le piano se réduit à une polyphonie qui sonne ou sonnerait mieux exécutée par un ensemble instrumental. Le violoncelle et la flûte se joignent au piano dans les *Chansons Madécasses* pour mettre davantage en valeur l'accompagnement fait de simples contrepoints. Ravel a tout naturellement recours à des instruments monodiques : deux hautbois suffiront à nous introduire dans l'atmosphère de *L'Enfant et les Sortilèges* ; la flûte seule accompagnera l'air de la fée. L'orchestre, où le piano s'incorpore, limite ses effets de masses au profit d'interventions de solistes : les divers instruments s'intègrent à la collectivité après s'être produits séparément et successivement dans *Boléro*, chaconne mélodique unique dans les annales de la musique, où un même thème est exposé plusieurs fois sans autre modification harmonique ou linéaire que la modulation et la strette finales. Ce triomphe de la mélodie est aussi celui de la tonalité comme de la danse. A son tour, le *Concerto pour la main gauche* s'achèvera par l'apothéose d'une admirable sarabande.

En résumé, Ravel aura eu moins à se chercher qu'à s'épurer. En raison de sa maturité précoce, il atteignait avant la quarantaine au sommet de son art et opérait un tournant dont les années ont montré qu'il s'accordait assez bien avec l'évolution de la musique en général. Comme son art reposait sur des fondements plus classiques que celui de Debussy, comme les Six et leurs contemporains parlaient une langue malgré tout moins profondément révolutionnaire que celle du maître de *Pelléas*, Ravel aura pu donner, mieux que ses cadets eux-mêmes, de parfaites illustrations de leur credo esthétique ; fait significatif, leur hostilité se mua bien vite en admiration sincère, voire affectueuse. Après l'ascétisme durement imposé des années 1920-1925, la nature généreuse et sensuelle de Ravel reprit bientôt le dessus ; au moment même — y eut-il corrélation dans les faits ? — où la musique se retournait vers les valeurs affectives qu'elle avait violemment répudiées. On a vu Ravel participer lui-même à cette attitude de rejet violent avant de revenir à un langage plus conforme à son tempérament véritable. S'il n'hésitait pas à emprunter à la musique américaine nouvelle venue, il se retournait également vers Fauré à qui il rendait un poétique hommage dans l'adagio du *Concerto en sol*. Dans ses trois chansons de *Don Quichotte à Dulcinée*, il adressait pour un peu un salut à Gounod !

Il serait injuste de parler pour autant de « déclin ». Certes, *Boléro* et *Tzigane* sont avant tout des prouesses de réalisation technique, la *Sonate* et le *Duo* des œuvres expérimentales ; mais *L'Enfant et les Sortilèges* est une accommodation fort réussie de l'opérette à l'américaine au goût français et par là même une des rares *créations* lyriques d'entre les deux guerres. L'intelligence évocatrice (Pastourelle), la verve humoristique (duo des chats, chœur de l'arithmétique) s'y donnent libre cours et la tendresse enfantine retrouve les accents ingénus et touchants de *Ma Mère l'Oye* (air de l'enfant, chœur final) ; le *Concerto pour la main gauche* fait d'un mouvement unique, extraordinaire crescendo parti de l'extrême grave et splendidement orchestré, se situe pareillement au niveau du *Trio* ou de *Daphnis*.

D'autres musiciens parvenus à la maturité et qui, eux, n'avaient pas encore trouvé leur voie, ap-

porteront des solutions diverses aux nouveaux
problèmes de la création, chacun s'efforçant à sa
manière de s'insérer dans le courant de son temps.
L'un d'eux, Albert Roussel, se sera plus particulièrement épanoui dans ces circonstances.

### IV. — Albert Roussel (1869-1937)

**La vie.** — Né à Tourcoing, Albert Roussel viendra plus
tard encore que Berlioz à la composition, abandonnant à
vingt-cinq ans la marine dans laquelle il avait effectué de
nombreuses croisières. Ses maîtres lui découvriront un don
inné de la polyphonie : Eugène Gigout lui reconnaît le « génie
de la fugue » et Vincent d'Indy lui confie la chaire de contrepoint à la Schola Cantorum presque aussitôt après qu'il y
ait terminé ses études. Parmi ses élèves figureront Erik
Satie et le Tchèque Bohuslav Martinu. La guerre interrompt
momentanément son activité créatrice. Seule la mort survenue
à Royan viendra y mettre un terme.

**L'œuvre.** — Albert Roussel, homme de science,
doté d'une solide culture générale, est avant tout
sensible à la beauté mathématique. Son « génie
de la fugue » est moins une aptitude à se plier sans
défaillance à une discipline sévère qu'à s'exprimer
naturellement au moyen de celle-ci. Si l'on voulait
établir une différence entre Ravel et Roussel, le
premier serait la raison de la sensibilité, le second
la sensibilité de la raison. Roussel se plaît davantage
au jeu des lignes qu'à celui des accords. D'Indy
et Debussy l'effleureront à peine. Sa manière propre
se laisse pressentir dans la fugue finale de l'*opus* 1 :
*Des heures passent* pour piano (1898), ou dans certaines mélodies du premier recueil dont l'accompagnement est écrit en contrepoint *(Madrigal lyrique)*
ou à trois voix rigoureuses *(Invocation)*. Mais Roussel manifeste dès le départ une préférence évidente
pour les formes classiques ; son idéal panthéiste se
traduit aussi bien sinon mieux dans la *Suite* (1910)

ou la *Sonatine* (1912) pour piano que dans les
*Rustiques* (1906) ou le ballet *Le Festin de l'Araignée*
(1913). En dehors de la chorégraphie, Roussel
délaissera tout argument littéraire : chaque partie
de la première symphonie *Le Poème de la Forêt*
(1908), malgré son titre, était construite comme un
mouvement de symphonie classique ; Roussel reti-
rera avant l'exécution le programme qu'il avait
placé en tête de sa *Deuxième Symphonie* (1921).
Un tel comportement va donner à Roussel ses
chances d'avenir. Ses vingt dernières années seront
les plus fécondes. Ce contemporain de Debussy
et de Ravel aura trouvé sa voie au seuil de la cinquantaine, moins à leur fréquentation qu'à celle
de Strawinsky et de la musique populaire orientale.
Celle-ci aura exercé sur Roussel, au cours de ses
nombreuses croisières, une véritable fascination ;
elle constituera un premier ferment décisif pour
l'éclosion d'un style original. Avec le *Divertissement*
pour vents et piano (1906), les *Evocations* (1911)
et les premières mélodies sur des poèmes chinois
(*Amoureux séparés*, *Ode à un jeune Gentilhomme*),
Roussel est déjà en pleine possession de son art.

A partir de 1919, sa démarche s'accentue vers
la linéarité ; d'abord dans les dernières pièces vocales éparses et inégales, le plus souvent empreintes
d'une ironie malicieuse (*Le Bachelier de Salamanque*,
*Réponse d'une Epouse sage*, *Jazz dans la Nuit*,
*Sarabande*, *Cœur en Péril*) et qui appartiennent
au grand art de la miniature. Elles s'inscrivent
dans l'histoire de la mélodie française comme une
sorte de dernière étape. La poésie faite de gravité,
de sérénité et de mystère qui caractérisait les mélodies antérieures va se retrouver par une sorte de
transmutation, après *Light*, dans les adagios des
symphonies et compositions de chambre.

Roussel est moins à l'aise au théâtre dans les airs que dans les ensembles vocaux. Ceux-ci prédominent dans l'épisode mythologique *La Naissance de la Lyre* (1923), l'opérette *Le Testament de la Tante Caroline* (1936) et *Padmâvatî* (1923), essai unique de renouvellement de l'opéra-ballet par un rattachement plus étroit à l'action de l'élément chorégraphique. Pour les chœurs, Roussel écrit encore un *Madrigal aux Muses* (voix de femmes, 1923) et *Le Bardit des Francs* (voix d'hommes, 1928), doté par la suite d'un magnifique accompagnement de cuivre et de batterie. Le *Psaume LXXX* (1929) est le digne pendant de celui de Florent Schmitt. Son souffle et sa grandeur simple et authentique autorisent à le rapprocher des oratorios de Hændel. On s'étonnera à moitié seulement que Roussel ait ici parlé de « retour à une musique pure », comme s'il s'agissait d'une composition instrumentale. Mais à la lecture, ce *Psaume*, selon une juste remarque d'Henri Prunières, se présente comme une symphonie vocale en trois mouvements. C'est montrer à quel point Roussel considérait la forme sonate comme la forme par excellence. Il devait l'illustrer, avec autant de personnalité dans un scherzo qu'un mouvement lent ou un allegro, à travers ses trois dernières *Symphonies* (1923, 1930, 1934), dont la troisième est sans doute la plus réussie, la *Suite en fa* (1926), le *Concert* pour petit orchestre (1926-1927), la *Petite Suite* (1929), la *Sinfonietta* pour cordes (1934), le *Concertino* pour violoncelle (1936). On notera une préférence marquée pour les petits ensembles et les instruments monodiques à cordes (*Quatuor*, 1932 ; *Trio*, 1937) ou à vent (*Sérénade*, 1925 ; *Joueurs de Flûte*, 1925 ; *Trio avec flûte*, 1928) qu'il manie aussi heureusement en grande

formation (*Glorious Day*, 1932 ; *Prélude pour le
14 juillet*, 1936). L'esprit et les règles constructives
de la symphonie qui s'étaient déjà imposées pour
la composition de *Daphnis* auront également pré-
sidé à celle des deux derniers ballets de Roussel :
*Bacchus et Ariane* (1930) et *Aeneas* (avec chœur,
1935) où les conceptions de Diaghilev trouvent
comme une dernière et éclatante illustration.

Le mérite principal de Roussel aura été d'avoir
réveillé le culte de la symphonie et de la musique
de chambre, d'avoir renouvelé la mélodie et le
contrepoint par l'emploi systématique des gammes
et des modes exotiques et des emprunts modérés
à la polytonalité. Sa musique d'une grande plénitude
et d'une grande retenue ne livre pas toujours son
message au premier abord ; mis à part quelques
mélodies et *Le Festin de l'Araignée*, elle n'a pas
encore conquis tous les suffrages. Est-ce parce
qu'elle tente plus qu'aucune autre la difficile conci-
liation des mondes sonores européens et orientaux ?
Est-ce encore et peut-être davantage parce qu'Albert Roussel, qui avait parfaitement assimilé un
métier tardivement acquis, ne parvint pas toujours
à s'exprimer avec cette aisance naturelle et ce
« génie de l'essentiel » qui ne manquèrent jamais
à Ravel ? Roussel use de couleurs franches, d'agrégations drues dont Strawinsky, voire Milhaud ont
pu lui révéler le pouvoir expressif. Il retient ses
élans ou les déchaîne dans une atmosphère de ker-
messe qui trahit ses origines nordiques. La danse
prédomine comme chez Ravel et lui dicte ses plus
belles inspirations. La violence même pour Roussel
est source de beautés. Mais il conserve toujours
un équilibre souverain et une grande richesse
intérieures qu'il tient de son éducation autant que
de son âge et qu'une existence privilégiée, illumi-

née par la présence d'une compagne exemplaire,
lui aura permis de sauvegarder. Au terme de sa
vie, Roussel parle le langage de ses contemporains
mais il échappe presque toujours au trouble du
monde qui l'environne.

## V. — Autour de Ravel et de Roussel

Dans ses vingt dernières années, Maurice Emmanuel (1862-1938) a observé une démarche assez
semblable à celle de Roussel. Ses deux symphonies
(*Vie et mort d'un jeune aviateur*, 1919 ; *Symphonie bretonne*, 1931) comme son *Poème du Rhône* (posth. 1938)
témoignent de la même volonté d'insérer le programme dans les strictes limites d'une forme dûment
respectée. Celle-ci avait prévalu dans la *Sonate en
Trio* pour clarinette, flûte et piano (1907) comme
dans les six *Sonatines* (1893-1925) qui constituent,
parallèlement aux *Concerti* de Ravel, une des dernières expressions originales de la musique française
de piano. Dans la cinquième, orchestrée sous le
titre *Suite française*, les points de rencontre avec
Roussel apparaissent tout particulièrement.

Certaines de ces premières œuvres de Maurice Emmanuel passèrent inaperçues lors de leur première
audition — quand elles bénéficièrent d'un tel honneur ! — et restèrent le plus souvent enfouies dans
les cartons de leur auteur. Lorsqu'elles revinrent
à la lumière, on les prit, comme les compositions
ultérieures, pour des assimilations intelligentes de
Strawinsky ou de Bartok, alors qu'elles en avaient
été de singulières préfigurations. Ce fut ainsi le
cas de la première *Sonatine* dite « bourguignonne »,
achevée en 1893 mais publiée seulement en 1923,
de l'*Ouverture pour un Conte gai* créée en 1934 mais
terminée dès 1890 ou encore de la *Sonate pour*

*violoncelle et piano* entendue seulement en 1921 et qui avait valu en 1891 à Maurice Emmanuel, encore élève de Delibes au Conservatoire, d'être exclu, avant Ravel, du Concours de Rome.

Ce n'était pas seulement dans ses écrits que ce condisciple et défenseur de Debussy entendait prouver à sa façon comment la musique pouvait se libérer du « tyran *ut* » en recourant aux échelles modales et comment il était possible — il devait le montrer dans ses opéras *Prométhée enchaîné* (1919) et *Salamine* (1929), — d'user sans pédantisme de la métrique ancienne pour retrouver une déclamation faisant étroitement corps avec la langue française.

La diffusion parcimonieuse de l'œuvre de Maurice Emmanuel, réduite à une trentaine d'*opus*, a forcément limité son audience et son influence. Cette malchance a eu pour origine le préjugé absurde et tenace selon lequel un théoricien *(Histoire de la Langue musicale)*, un folkloriste *(Chansons bourguignonnes et du Pays de Beaune)*, un professeur d'histoire de la musique, un universitaire qui fit tant pour redonner droit de cité à son art parmi les matières enseignées à la Sorbonne, ne pouvait se doubler d'un compositeur valable et original. Heureusement cette coalition d'éléments contraires, après le black-out de la guerre de 1939 et à partir des années 1950, a désarmé : professionnels et public ont fini par comprendre que la science de l'érudit s'alliait en effet fort bien au métier du compositeur à qui ne manquaient ni la sensibilité, ni l'énergie. Maurice Emmanuel ressemble par certains côtés à Paul Dukas avec les mêmes vertus et d'analogues inégalités. Mais les partitions personnelles et fortes, qui constituent la majeure part des œuvres qu'il n'a pas lui-même détruites, permettent de le classer également parmi ces créateurs indépendants capables

d'échapper à l'emprise des courants qui les sollici-
tent. Les dons variés de Maurice Emmanuel vont
de la fantaisie la plus saine (*Amphytrion*, 1938) à la
grandeur âpre et tragique (prologue de *Prométhée*,
récit de la bataille de *Salamine*). Il est seulement
regrettable qu'une auto-critique sans doute trop
sévère et un effacement imposé de l'extérieur aient
empêché l'extension de ces dons à une production
plus abondante.

Après Maurice Emmanuel, Charles Koechlin
(1867-1951) est le plus remarquable compositeur
théoricien de sa génération. Une curiosité sans
cesse en éveil a conduit cet élève de Massenet et
de Fauré à aborder tous les domaines, toutes les
formations, à emprunter à tous les courants, à
toutes les tendances y compris le dodécaphonisme.
Sa connaissance particulière des vents (1) lui a
permis d'enrichir notablement leur répertoire par
des pièces et sonates avec ou sans accompagnement
de piano, pour petites et grandes formations. La
place manque pour mentionner les œuvres qui méri-
teraient d'être citées ; dans quelque branche que
ce soit Koechlin n'a rien laissé d'indifférent. Sa
production considérable est encore mal connue et en
grande partie inédite. Poulenc, Sauguet, J.-L. Mar-
tinet ont reçu de lui un enseignement dont on
peut mesurer la solidité et la largeur d'esprit dans
les *Traités de l'Harmonie, du Contrepoint et de la
Fugue, de l'Orchestration, de la Polyphonie modale*...

Gabriel Pierné (1863-1937), qui dirigea les Concerts
Colonne, se révéla un musicien fécond et original,
excellant aussi bien dans l'opérette *(Bouton d'Or,
Sophie Arnould, Fragonard)* que dans la mélodie
*(Ballades de Paul Fort)*, le ballet *(Cydalise et le*

---

(1) Cf. dans cette même collection *Les instruments à vent*, n° 267.

*Chèvre-Pied, Girations, Impressions de Music-Hall)*
ou la musique de scène *(Ramuntcho)*.

Philippe Gaubert (1879-1941) fut un flûtiste
émérite. Il destina à son instrument quantité de
pièces flatteuses et composa également d'estima-
bles partitions lyriques *(Sonia)*, symphoniques
*(Inscriptions sur les Portes de la Ville)* et chorégraphiques *(Alexandre le Grand, Le Chevalier et
la Demoiselle)*. Mais il occupa une place de choix
dans la vie musicale entre les deux guerres avant
tout comme chef d'orchestre à l'Opéra et à la Société
des Concerts du Conservatoire. Il en fut de même
pour Rhené Baton (1879-1940) à la tête des Concerts Lamoureux et Pasdeloup. Antoine Mariotte
(1875-1944) fut à la même époque directeur du
Conservatoire d'Orléans, puis administrateur de
l'Opéra-Comique. Cet élève de d'Indy a laissé quelques ouvrages lyriques qui méritent d'être signalés
*(Salomé*, 1908) et une remarquable suite pour piano
*Impressions Urbaines* où sont évoqués les paysages
et la vie des faubourgs ouvriers.

## VI. — L'orgue

Le nouvel instrument, dont le premier spécimen
était apparu dans les dernières années du XIXe siècle, va remplacer les orgues détruits par la guerre.
Il s'imposera en raison de sa parfaite aptitude à
servir un mouvement en faveur d'une musique
plus liturgique, où il y aura place pour une nouvelle forme d'expression, proche du poème symphonique : la musique à programme religieux.
A Louis Vierne, va s'opposer son exact contemporain Charles Tournemire ( 1870-1939), brillant im-
provisateur qui succède à Franck et à Pierné à la

tribune de Sainte Clotilde. Son *Triple Choral*
(1910), montrait déjà le chemin de *L'Orgue Mys-
tique* (1927-1932), monumentale et parfaite application de la doctrine énoncée par Tournemire lui-
même : « Commenter chaque dimanche l'office
divin au moyen d'improvisations ou d'œuvres
écrites se rapportant directement aux textes du
jour. » La monodie grégorienne servira de base à
d'imposants édifices affectant les constructions
les plus diverses, les plus savantes. Tournemire,
selon qui le rôle de l'organiste doit être très fondu
avec la liturgie, cherche moins à en imposer comme
Widor ou à se confier comme Vierne qu'à faire
partager sa foi ; il parle aux fidèles leur langage
et use de la plus complète liberté harmonique et
rythmique ; d'où son influence plus profonde et
plus durable. Les *Poèmes-Chorals* (1935) marquent
le point de départ, parallèlement au *Chemin de la
Croix* et à la *Symphonie-Passion* de Marcel Dupré,
de la musique à programme religieux.

De tous les courants liturgiques ou profanes qui
se côtoient à l'orgue jusque vers 1935, Jehan Alain
réalisera, à la veille de la guerre de 1939, une atta-
chante et personnelle synthèse.

# BIBLIOGRAPHIE SOMMAIRE

———

Nous renvoyons pour une bibliographie plus détaillée au volume de Norbert DUFOURCQ, *La musique française* (VII<sup>e</sup> et VIII<sup>e</sup> parties, 1949) et au tome IV de l'*Histoire de la musique* de COMBARIEU-DUMESNIL (1958).

Julien TIERSOT, *Les fêtes et chants de la Révolution française* (1908).

Georges FAVRE, *La musique française de piano avant 1830* (1953).

Paul LANDORMY, *La musique française de la Marseillaise à la mort de Berlioz* (3<sup>e</sup> éd., 1944).

René DUMESNIL, *La musique française romantique* (1945).

Frits NOSKE, *La mélodie française de Berlioz à Duparc* (1954).

Evelyn REUTER, *La mélodie et le lied* (« Que sais-je ? », 1950).

Lionel de LA LAURENCIE, *Le goût musical en France* (1905).

Maurice EMMANUEL, *Histoire de la langue musicale* (2 vol., 1911).

Norbert DUFOURCQ, *La musique d'orgue française, de Jehan Titelouze à Jehan Alain* (2<sup>e</sup> éd., 1949).

Romain ROLLAND, *Musiciens d'aujourd'hui* (s. d.),

Alfred CORTOT, *La musique française de piano* (3 vol., 1930-1932-1944).

Paul DUKAS, *Ecrits sur la musique* (1948).

René DUMESNIL, *La musique française contemporaine* (2 vol., 2<sup>e</sup> éd., 1949).
— *Le monde des musiciens* (1923).
— *La musique française entre les deux guerres* (Genève, 1945).

———

# TABLE DES MATIÈRES

1963. — Imprimerie des Presses Universitaires de France — Vendôme (France)

ÉDIT. N° 26 966          IMPRIMÉ EN FRANCE          IMP. N° 17 432

SCIENCE ÉCONOMIQUE

QUESTIONS SOCIALES